THE G. ALLAN ROEHER INSTITUTE

CANADA'S NATIONAL INSTITUTE FOR THE STUDY OF PUBLIC POLICY AFFECTING PERSONS WITH AN INTELLECTUAL IMPAIRMENT

The G. Allan Roeher Institute has two goals:

- ☐ to apply the best of our current knowledge in order to identify and anticipate future trends that will support the presence, participation and contribution of persons with an intellectual impairment in their communities; and
- ☐ to foster the exchange of ideas leading to new ways of thinking about persons with an intellectual impairment.

Through research, training, consulting and publishing, The G. Allan Roeher Institute supports individuals, families, community groups, service providers and governments to develop strategies for community living that enable individuals to exercise maximum autonomy and self-determination.

The G. Allan Roeher Institute is sponsored by the Canadian Association for Community Living, a voluntary organization bringing together over 400 local and 12 provincial and territorial associations working on behalf of persons with an intellectual impairment. The activities of the institute support the principles of the Canadian Association for Community Living which state that all individuals have the right to be participating members of their community.

RESEARCH AND POLICY DEVELOPMENT

The G. Allan Roeher Institute conducts and sponsors a wide array of research activities with a major focus on public policy and funding, on studies of innovative social programs and on the developments of policy alternatives.

TRAINING

The Institute also develops training programs and materials for agencies, government departments and community groups. These activities range from preparing the materials and producing audio-visual presentations, to actually providing the training.

NATIONAL INFORMATION AND RESOURCE SERVICE (NIRS)

The NIRS coordinates the Institute's information services through their publications centre which publishes and sells books; the reference library which has 10,000 holdings relating to intellectual impairment; and the audio-visual centre which rents and sells films produced both by the Institute and other organizations.

For more information, please contact us at:

The G. Allan Roeher Institute
4700 Keele Street
Kinsmen Building
Downsview, ON M3J 1P3
(416) 661-9611

BRESCIA COLLEGE
LIBRARY
55922

TABLE OF CONTENTS

Brian Salisbury,
Jo Dickey and
Cameron Crawford

FOREWORD

In the past few years, Canadians have begun to realize that their governments need to invest more energy in order to ensure that all citizens are treated equally and receive a just share of society's benefits. This recognition has been reflected in law (in the Charter of Rights and Freedoms, and in the extension of Human Rights Legislation) and in policy. It is likewise reflected in the public's changing attitudes, and in the shifting demands being made on human service systems like schools, real estate agencies, legal and medical offices, parks and recreation facilities, one-to-one services, transportation facilities, employment services, and consumer goods outlets to name a few. The debate is no longer whether people are entitled to services, but rather how the needs of individuals can be provided for in a way that is fair and equitable.

Coinciding with these new understandings has come a growing recognition that traditional approaches are not structured to respond adequately to the needs of people with mental handicaps and their families. Initiatives are being taken, therefore, to discover and implement alternative approaches which either change or replace the existing system structures and relationships, enabling them to serve individuals in ways consistent with the new understanding of the rights of people who have handicaps.

Service brokerage, a unique concept developed by parents of individuals with handicaps, is such an approach. The concept emerged from the realization that people with handicaps are quite able to live as full members of society in their own communities. It is grounded in the recognition that, if society is to empower them to live as full participants within the community, some critically important links missing from our present social service systems need to be present. Brokerage also emerged from an understanding of how systems often do not operate in ways that make them accountable to the people served, and from an awareness of how systems tend to impede the people served from effectively exercising influence in decision-making. Brokerage addresses these issues by making systems more accountable to the person served and by putting control in decision-making back into the hands of that individual.

Brokerage is itself one dimension of a three component "support nucleus." The support nucleus is in turn designed to function within the overall patchwork of services and supports provided by society to its citizens.

Within the support nucleus, service brokerage is the technical arm of an autonomous planning mechanism that is community-based and consumer-controlled. The planning mechanism acts as a fixed point of responsibility for planning with and on behalf of people with handicaps in the community. It is completely autonomous in relation to the funding body (usually a government ministry) and direct service providers. This vehicle for planning does not exercise a mandate to "plan for" people who have handicaps and who require services in the community. Rather, it assumes that the individual has the right to plan for his or her own life, yet may require a support service in order to do so effectively. Accordingly, the fixed point offers brokerage services on demand to the person who has a handicap, as needed. The fixed point is usually the duly elected board of an independent and community-based organization, responsible for a professional service agency that provides brokerage services.

Alongside of brokerage, the support nucleus contains the ''personal network'', or family and friends, of the individual using the brokerage services. Essentially, the personal network provides support to the individual in decision-making and enables monitoring of the services and supports that brokers bring into place around the individual.

The nucleus also includes ''individualized funding'', the allocation of dollars to individuals on the basis of their particular needs and strengths.

While the three components within the support nucleus are distinct from one another, they interlock and complement one another. Only when all three are in place around the person receiving supports, can brokers provide the ''autonomous planning supports'' it is intended that they provide. The three components enable the broker to ensure that the individual and his or her personal network obtain entry to the marketplace (society), and gain access to, while paying for, the services and supports appropriate to individual need. The broker then assists the individual and the personal network to keep the supports and services accountable and delivering according to the expectations of the person using the system.

There are, then, three inseparable components which complement each other:

1. the personal network;
2. individualized funding which ties dollars to the individual; and
3. an autonomous planning vehicle, acting as a fixed point of responsibility for planning and providing service brokerage as required to the individual who is supported by his or her personal network.

Each component has been designed to address specific system-related problems. Together they ''empower'' people with mental handicaps to exercise a meaningful voice in decision-making about matters affecting their lives. The components also make it more possible for people with handicaps and their networks to arrive at informed and wise decisions about the most suitable supports required for community living. Those who initially identified the critical elements missing from society's human service and support systems, and who put in place a brokerage system with its allied components, are beginning to see with some confidence how equal participation in society is indeed possible for all people.

The present monograph provides a comprehensive overview of the service brokerage concept and clarifies some of its more important operational aspects. This information will, we hope, serve as an incentive to consumers, advocates, professionals, service providers and policy makers alike. With commitment and concerted action, efforts to achieve community integration and acceptance can become a reality.

MARCIA H. RIOUX
Director, The G. Allan Roeher Institute

ACKNOWLEDGMENTS

The evolution of this monograph owes much to the many individuals who share a sense of commitment to the right of people with mental handicaps to live as full citizens in the community. Without their vision and practical assistance, the monograph's scope and potential impact would be significantly reduced.

In particular, not enough can be said about the role played by a group of families that came together in British Columbia in the 1970s to advocate for meaningful system change, and then to design a systemic way to bring it about. These families have continued to implement an alternative ''systems'' approach to identifying and meeting the needs of their family members. It effectively empowers people with mental handicaps while increasing the accountability of service systems. Those families deserve the greatest tribute and acknowledgment.

Insofar as the writing of the monograph is concerned, the authors wish to extend their appreciation to the following individuals for their help in drafting and revising this document: Tim Stainton, Georgia Chertkow, Kathryne Frayling, Lori Ferguson, Carol Rawluk, Trish Salisbury, Al Fabro, Jackie Maniago, Babs Stewart, Becky Rawluk, Brian Gawley, Don Reed, Ken Pook, Glen McClughan, John Peterson, Lynn Salter, Marcia Rioux, Andrew Frayling, Michele Swiderski, Karen Yarmol, Patricia Meyer, and Miria Ioannou.

Finally, the authors would like to acknowledge the special contribution made by Brian McKenney. His thoughts and insights, gained from many years of practical experience in the field, resulted in many important changes to the final text.

The authors would like to point out that there is a lack of information on service brokerage, even though brokerage has been in existence for ten years. Certainly there has been very little literature which has examined the topic in a comprehensive or systematic way. Many factors have contributed to this situation, not the least of which has been the considerable time and energy that would be required of those most actively involved with service brokerage and personal networks. Busy schedules and the usual system pressures and constraints have not been conducive to much writing. Additionally, some confusion and misconceptions about the subject have arisen, partly because what little literature does exist tends to reflect a partial or inaccurate understanding of brokerage and its allied components. If this monograph contributes to a clearer understanding of brokerage within a systems context, community integration for people with mental handicaps will, it is felt, be furthered. At the very least, it is hoped that this monograph will help fill a certain void while dispelling some misconceptions.

CURRENT PROBLEMS AND ISSUES

The person who feels in control of his or her own life has the best chance of feeling good about life. So it is that people generally value the right to make decisions about the things that affect them. The conviction that self-determination and personal autonomy are important values is reflected in our Charter of Rights and Freedoms, in our laws and in the policies that regulate our society. We may often take these values for granted. Yet we almost instinctively consider it a violation of our most basic rights and freedoms when circumstances work against them.

BASIC RIGHTS AND SYSTEMIC OBSTACLES

Control, Ownership and the Failure to Remain Accountable

The right to self-determination and personal autonomy, however, are often denied to people with mental handicaps, and especially to those who require extensive, possibly constant, supports throughout their lifetime.

For instance, even well intentioned care givers can protect people with handicaps to the degree that they control these individuals' lives while denying them important opportunities to exercise self-determination. This control over people can happen within families, among friends and in social services, and is frequently found where an individual is unable to clearly voice his or her personal needs, preferences and decisions.

It is especially within the context of social services that people with handicaps can virtually be ''owned.'' Ownership is more than just the denial of another person's freedom to make their own decisions. It is the regarding of others as a kind of property to be safeguarded, used and disposed of at one's own discretion in order to further one's own or the organization's interests. Because the person with a handicap has been prevented from having either the voice or the power which most other citizens have, he or she can be particularly vulnerable to ownership.

Furthermore, social services are generally not accountable to people with mental handicaps. There are usually other, more powerful vested interests both within and outside the service systems which can exert much greater leverage. As a result, the person with a handicap finds it difficult to make the systems respond to his or her personal requirements.

Problematic Responses to Human Needs

Large government ministries and voluntary organizations have traditionally been given the responsibility of addressing the needs of people who have mental handicaps. Like the needs of any other citizen, those of an individual with a handicap cover many areas of life. Needs change and are sometimes quite complex. Unfortunately, traditional approaches to addressing these wide ranging needs have enjoyed only limited succcess.

The Clinical Approach

A factor contributing to this limited success is the way policy makers and service providers view the person served by systems. A clinical approach has traditionally been used which compartmentalizes an individual into a series of separate needs, issues and problems rather than giving rise to a more complete view of the whole person. For example, the name John Hamilton might now represent a housing need to service providers in the housing sector, a set of employment problems to other agencies and a few medical pecularities to the medical professions. A total picture of John Hamilton as a whole person gets lost in the process. Large ''programs'' are also created to deal with his major categories of need. For instance, rather than it being assumed that John's need for a place to live can be satisfied through a rental or mortgage agency, and that his need for in-home support can be met by individuals or organizations providing these services, large programs are created to address his overall ''residential'' needs. These programs are like ''packages'' in which John will find everything ranging from the ''dwelling facility'' to the ''staff'' to the ''domestic training programs'' he supposedly needs. These large programs generally create highly artificial environments which fall short of satisfying his needs.

The ''Fix It'' Approach

The making of people with disabilities into so many separate issues has likewise produced the ''fix-it'' approach often taken by decision-makers. Some agencies will try to deal with John Hamilton the residential need, some will deal with John Hamilton the employment problem, and others will try to grapple with John Hamilton the medical issue, while the government will probably view him as a fiscal or zoning challenge. The fragmentation of the individual at the policy and delivery levels has made it troubling for government ministries and voluntary social services alike to work in the integrated manner necessary to meet the complete needs of John Hamilton the human being.

Seizing the Mandate to Plan ''For'' Others

An equally serious problem is the attempt made by some agencies to compensate for fragmented services by initiating total planning for the comprehensive needs of John Hamilton the complete human being. John Hamilton is denied the right, liberty and power to plan for his own life, and is denied opportunities to draw on the support of individuals and professional agencies in the process. Rather, those individuals and agencies attempt to plan and manage his life for him, regarding it as their mandate to do so.

The Elimination of Family and Friends

Another factor contributing to the limited success of traditional approaches is that family and friends have been prevented from supporting the decision-making of the person who has a handicap. This issue may be more easy to understand through the use of a comparison.

Where handicap is not an issue, people generally like to hear the ideas and opinions of friends and family while making decisions about what material, social or other goods to acquire and avoid. Where informed decisions are made, they usually are made within the context of this simple process. Likewise, by involving family and friends in decision-making, a person can help assure that there will be an informal yet effective monitoring of what has been acquired, be it goods or services. For instance, there may be grounds to question the quality of a piece of furniture you just purchased. At the time of the sales transaction, however, you may be unaware that you should be concerned. Where a quality issue is real but not immediately self-evident, your family members and friends can and usually will pass on their observations about the item to you. In light of their comments, you may wish to revise your decision. Should the seller of the furniture refuse to satisfy you, your network of family and friends can provide a number of practical and emotional supports to you, and can even join you in applying some well directed pressure upon the merchant. Your network helps to ensure that you receive satisfaction one way or another. This network of support becomes all the more critical as the choices become more serious, such as when you are making a career choice, thinking about moving from one community to another, seeking good medical or educational services, or contemplating a mortgage or investment package.

In contrast, where a person has been labelled as having a mental handicap, and where he or she needs and even asks for support in decision-making, that person often finds that service systems and bureaucracies have isolated him or her from the people he or she trusts. The feeling of isolation becomes most acute at the moment when an important decision needs to be made. Depending upon the circumstances, an individual's personal network may not even be able to have much involvement with him or her even after a decision has been reached. The people most likely to regard this person's overall best interests a high priority do not get a chance to monitor the results of the decision. Where a person with a handicap wants to include his or her personal support network in decision-making, its exclusion by others short circuits the important checks and balances which would otherwise curb the excesses, abuses and oversights of those who provide either consumer goods or social services.

There may be no simple solutions to offer for what are a number of complex social issues. Clearly, the interactions of many political, economic and social variables perpetuate the devalued status in society of people who have mental handicaps, and make it difficult for systems to have the interests of the person served as the primary focus. Yet, these complex social and systemic problems need to be addressed and resolved. Only then will the full participation of all citizens within society be possible, including those with mental handicaps.

THE NEED FOR A NEW APPROACH

Some Principles

Any new approach that successfully aims to include people with handicaps fully within society will also guarantee their basic right to maximize self-determination and personal autonomy. It will make deliberate efforts to accommodate their personal preferences and aspirations, and will put control in decision-making back into their hands and into the hands of their family and friends. It will also make provisions ensuring that the individual and his or her personal network receive the supports they need, so they can arrive at informed and prudent decisions about how to satisfy individual needs in a natural and cost-effective way in the community. In order to achieve these goals, there needs to exist more flexible structures which will address needs on a person-by-person basis. These structures will have to be accountable to individuals and their networks, and will regard their needs before those of the service systems.

Background

The above principles were not developed by government ministries or by service organizations previously in place in the non-profit sector. Rather, they emerged from the thinking of a group of families in British Columbia in the 1970s, who had to deal with the inequities associated with an existing set of social services. These parents provided impetus for change, as well as a theoretical base and some working structures for changing systems in a meaningful way.

The parents found that the community services and supports available to them were both unable and unwilling to respond to the needs of their sons and daughters, many of whom had been labelled severely and profoundly mentally handicapped and placed in institutions. Furthermore, each of these parents had been unable to exercise a meaningful impact on service systems, largely because the systems refused to acknowledge the importance of their role in the life of their family member. That many of the problems faced by these parents remain unresolved today can be in part attributed to the reluctance and inability of systems to evolve and change.

THE PRACTICAL ELEMENTS: COMPONENTS WITHIN THE SUPPORT NUCLEUS

The new approach developed by the parents included the notion of "service brokerage." Service brokerage is one component within an interdependent, three-part "nucleus" of support surrounding the person who has a handicap. The core components within the support nucleus are:

- *Individualized funding, or funding dollars calculated according to individuals' personal strengths, needs and service requirements, then "attached" to those individuals on an ongoing basis and fluctuating according to changing service requirements.* This approach to funding is radically different than allocating dollars "for" or "on behalf of" individuals. It enables the person receiving funding to use those dollars in planning and contracting for services he or she requires in the community.
- *Personal networks comprised of the family and friends of the individual* who has a handicap and who wants to live in the community. These networks are recognized as having status and are endorsed as such. They often play a primary role in the decision-making concerning the lives of people with handicaps. While network members take into account the advice and viewpoints of service providers, the network's status and decision-making role prevail in a situation where the person who has a handicap is unable to speak for him or herself. On the other hand, where that individual can speak for him or herself, and requires only minimum support in arriving at informed decisions, network members provide on request important auxiliary supports to his or her own decision-making.
- *An autonomous fixed point of responsibility,* accountable to the individuals and to their personal networks, and making available continuous and appropriate planning supports for community living. *The fixed point acts through its technical arm, as "service brokerage".* As the technical arm of the fixed point, the service brokerage assists the individual and personal network to identify the individual's specific strengths and needs. It then helps them to develop personalized plans and arrangements, making it possible for them to secure appropriate services in the community.

Each of these components addresses areas where traditional systems have failed to meet the needs of people with handicaps and their families. They are intended to act together to empower an individual to exercise a meaningful voice in decision-making about matters directly affecting his or her life. In doing so, the entire support nucleus protects and enhances the autonomy and self-determination of the person being served.

For the purposes of clarity, the components within the support nucleus are often referred to as separate items, with now one and then another component receiving more discussion. There is always the danger, however, that brokerage will be separated too completely out of the context in which it is designed to operate. It is important to emphasize, therefore, that the three components do not, and cannot, operate independently of each other. It is the *interdependent* operating of the three components which ''empowers'' the individual and his or her network, safeguarding their freedoms and rights on a system level while assisting them to make prudent decisions.

THE SUPPORT NUCLEUS

INDIVIDUALIZED FUNDING: Tying Dollars to Individuals on the Basis of Their Strengths, Needs and Actual Service Requirements

Anyone who lives in the community with autonomy and dignity will also enjoy a position strong enough to make and influence the decisions affecting his or her own life on a day-to-day basis. The majority of individuals with mental handicaps and their families, however, are subject to the controlling and somewhat capricious nature of community service systems. Some reasons for this situation have been discussed above.

A Case for Rethinking Funding Structures: Programs Receiving Dollars Have Control

Another obvious factor limiting the self-determination of people with handicaps is the current method of funding social services. Funding arrangements are overwhelmingly biased towards services and programs rather than towards individuals. Programs get the dollars, leaving it up to individuals to figure out how to get services from the programs. Because the service systems are given virtual control over the spending of program dollars, they can largely determine the types and quality of services they will provide. The result is that people with handicaps have few rights, few choices and little power as consumers. They have few options but to become dependent upon the services offered.

Dollars for Programs Can Mean a Failure to Serve

Furthermore, the funding body (usually a government ministry) seldom regards the outcome of the service upon individuals as a funding criterion. Instead, allocations typically cover the overall operating costs of a service system, as calculated along various budget lines, using ''block'' funding mechanisms. In other words, the funding body allocates blocks of money for the residential, educational or leisure programs of a given organization, on the assumption that a given number of people use those services. Whether a program helps or hinders specific individuals is not really an issue. If the program is funded to provide services to two hundred people, and if twenty do not seem to benefit, those twenty can be replaced. Organizational requirements are met while some important human ones are not.

Dollars for Programs Can Reinforce Bad Impressions

Funding arrangements for services and programs are also typically structured to address the needs of groups of people, rather than the specific needs of individuals. For instance, organizations will group and obtain funding for people who have been labelled ''autistic'' and will attempt to provide services for them as a group. This grouping for funds almost inevitably produces programs like ''residential services for the autistic'', rather than places where individuals feel at home. From an organizational viewpoint, it is much easier to create and administer this type of program or service than it is to respond to the sometimes difficult challenge of meeting diverse and changing needs on a person by person basis. But the funding structure itself helps perpetuate the groupings and the labels which have been shown to work against the interests of the people requiring the services.

Dollars are Spent for What Doesn't Suit You

Similarly, the dynamics of any system usually work to perpetuate the system or to simply maintain the status quo. So systems create self-protective and restrictive criteria governing who will receive services, how, and to what extent. If people in general are forced to receive whatever services the system decides to make available, some people are prohibited from using those services at all. These are the individuals who are informed that they do not meet the system's requirements, that they do not ''fit''. So John Hamilton is forced to leave his home in the community, and perhaps the community itself, because his one-to-one support staff are not meeting his needs. Systems that operate in this restrictive fashion become inflexible, unable to respond to individual needs, and arguably inappropriate users of tax dollars. Funding bodies find it difficult to ensure that block funded agencies and systems produce the maximum benefits for every dollar spent. They are often perplexed about how to evaluate fiscal expenditures effectively when the actual benefits received by specific individuals are not clear. For their part, people with mental handicaps are often forced to move to other services, to accept inappropriate services, to fail, or to simply be rejected.

Clearly, people with handicaps exercise little impact upon either the allocation or expenditure of program dollars, while the systems that control those dollars tend to restrict and control those they purport to serve. The net effect is to further concentrate control in the hands of service systems, to further erode the ability of social services to respond to and be accountable to the people served, and to render it difficult for the funding body and taxpayer to know how effectively tax dollars are being spent. People with mental handicaps and their advocates often feel frustrated and powerless to do anything to change the situation.

New Social Pressures: The Demand for Reform

Nevertheless, more and more consumers of community services are expressing their dissatisfaction with the current lack of consumer control, system accountability and system responsiveness. They and their advocates are consequently demanding control over the funding used to provide services to people with handicaps in the community. They recognize that by gaining more control over funding they can begin to exercise a more equitable share of power and freedom in life, while using scarce funding more effectively.

More Equitable Arrangements are Possible

Planning the right strategies for meeting human needs is an ongoing process. As needs change, so do service requirements. How can society make service systems more equitable, accountable and responsive to individuals in the use of allocated tax dollars? It has been ascertained that society needs to:

- Insist that service providers in the governmental and voluntary sectors begin *focusing on the individual* requiring services, so they will tailor their service capabilities to meet individual strengths, needs and service requirements as they change over time;
- Give individuals requiring services more *status in decision-making and more effective leverage,* so they have the necessary power to make service systems more flexible, responsive and accountable;
- Create *individualized funding structures* that allow the preceding two steps to happen.

Funding structures can either help or hinder society's efforts to meet human needs. The most compelling way to ensure system flexibility, responsiveness and accountability is for governments to allocate funding to the person served rather than to programs, services or agencies.

Individualized funding of the type discussed here is based on the following assumptions:

- people with mental handicaps can and should be able to make choices in the marketplace of social and other services;
- government should involve consumers in making decisions about the expenditure of public dollars on matters directly concerning their own lives;
- service systems should not control the decision-making process.

There are a number of significant advantages to individualized funding, including:

- it reduces service system control and ownership;
- it gives self-determination to the individual in choosing services;
- it promotes maximum integration into the community for the person who has a handicap;
- it places the focus of support efforts on the person served and helps ensure that the individual does not get locked into a "dead-end" service;
- it introduces or broadens effective monitoring and evaluation of services, so that individual choice can help determine the extent to which economic resources will continue to be used for a given service;
- it makes the continued expenditure of public dollars depend more directly upon whether service providers are achieving results in satisfying individuals' real needs and service requirements;
- it makes possible a greater fiscal accountability of service providers to the funding body;
- it provides incentives to social services to make the most effective use of each dollar received and to find new and innovative ways to meet individuals' service requirements;
- it reduces inefficiency within services and discourages ineffective services from being developed;
- it promotes a more active partnership between the funding body, the individual requiring services in the community, his or her personal network, the brokerage, and direct service providers.

This transfer of tax dollars to individuals rather than to service systems is a major step towards shifting the locus of control away from systems and back to consumers.

THE INDIVIDUAL'S PERSONAL NETWORK: A SUPPORT TO DECISION-MAKING

Who Makes Up The Personal Network?

The personal network is made up of the people who support, sustain and enhance the autonomy of the person who has a mental handicap. The key element in any relationship is a genuine sense of commitment. Anyone who has such a commitment to the individual receiving supports, and to whom that individual responds mutually, is considered a member of a personal network. Since it is usually family members who have a long-term commitment to the person with a handicap, they will often be the network's ideal core members. In contrast, people paid to provide supports or services generally cannot provide a truly free gift of self to the person supported. Consequently, they are generally not considered part of an individual's personal network, although there are exceptions. Yet, this is not to minimize the importance of those paid for their services. Caring support staff can make valuable contributions to the decision-making of the individual and his or her network, and are often recognized as playing a crucial role.

Why Natural Networks Have Been Excluded

In spite of the importance of personal networks in the lives of people with handicaps, family members and friends have usually either been excluded from active participation or their role denied. This has happened for several reasons:

- a perception in the minds of many in social services that people with mental handicaps are unable to have meaningful, reciprocal relationships and are therefore unable to develop or enjoy the benefits of personal networks;
- a lack of understanding that segregation and isolation often prevent people with handicaps from having effective personal networks in place to support them;
- a history in which decision-making powers have been granted to service providers, as well as to legal, social service and medical professionals, and the assumption that this vesting of power and control is right and just;
- the longstanding assumption that the family and friends of the person with a handicap are either incapable or inappropriate to act, if need be, as the principal decision-makers for that individual, and the assumption that professional experts know best how to make the right decisions and provide the critical supports;
- the role which service providers and professionals have sometimes played in eroding the confidence and ability of family and friends to provide a range of supports to the individual.

The Role of The Network

It is not enough to simply empower people with mental handicaps through fiscal mechanisms that make it possible for dollars to flow by way of individuals to services in the community, or through a brokerage service that facilitates freer choices from more service options. These are somewhat ineffective exercises if the individual is unable to communicate needs and aspirations. Clearly, many individuals require support in decision-making. Even people with handicaps who can make their own decisions without much additional support usually value the views and opinions of those they trust and who have their best interests clearly in view. A person looks for and has a right to this input from others, particularly when a decision is likely to have a significant impact on the quality of his or her life. As mentioned earlier, such situations are no different than the normal patterns in the lives of people without identified handicaps who look for and consider different points of view so they can make informed, realistic and appropriate decisions.

Benefits Provided by a Personal Network

Specifically, a personal network provides the following benefits:

- where an individual desires its involvement, the network can satisfy a need to have others speak or act on his or her behalf;
- it ensures that needs for friendship and caring are met;
- it helps interpret to others his or her strengths, needs and aspirations, thereby facilitating the service planning and delivery processes;
- it ensures that in all aspects of service planning and provision, the focus remains fixed on the uniqueness of the individual person;
- it ensures that the individual has ongoing support in any decision-making that affects his or her life;

- it acts as a monitoring safeguard to ensure that any agency or organization providing service is made accountable;
- it provides layers of checks and balances for people accepting the grave responsibility of making decisions with and on behalf of those individuals with mental handicaps who are not able to make fully informed decisions in their own right.

If the involvement of a personal network is to be effective and meaningful, access by this group to the individual served, to planning, and to the services used should be unimpeded and complete, limited only at the individual's discretion. Likewise, members of the personal network must be regarded as having status in the life and decision-making of the individual receiving supports. Without status in the eyes of service providers, and unrestricted access on all fronts, the network cannot effectively monitor the quality of services provided. Neither can it have meaningful input to the decision-making process where the individual requests it, or where he or she requires this support yet finds that a handicapping condition makes it difficult to clearly voice a need for it.

THE AUTONOMOUS FIXED POINT OF RESPONSIBILITY: ACCOUNTABLE PLANNING AND BROKERAGE FOR COMMUNITY LIVING

The Logistical Problem

Individuals and families have had common experiences in dealing with the governmental and voluntary service sectors. They repeatedly have great difficulty gaining access to such services as community homes, employment, respite care, integrated educational settings, day care programs, and in-home supports. Often these services are nonexistent, unwilling or unable to respond. As well, the quality of some services is unacceptable.

Perhaps a more fundamental problem is that complete and accurate information about the location, cost, accessibility and quality of the existing service options is not easily available. Neither is a vehicle and set of strategies enabling individuals and families to obtain community services and other resources identified as suitable.

These situations exist because no one agency or organization within the patchwork of community services is equipped to assist the individual and personal network to develop ongoing personal plans for living and meeting personal needs in the community. Fragmented planning has meant that people with handicaps are "bounced" from service to service, professional to professional, while needs go unmet, again a story familiar to many families. While many individuals with handicaps, particularly those who have strong personal networks, are able to cope with this state of affairs, others become "victims" and find their way into the criminal justice or mental health systems.

Due to the lack of alternatives, many families are forced to care for their sons or daughters at home over a very long term. Again, they typically have to seek information from a variety of professionals and then knock on still different doors in search of needed services and supports. Often they find that those doors remain closed. They must then learn how to cope with providing more than their fair share of support over what may be the lifetime of their son or daughter. Some find this task, in conjunction with all the ordinary personal and social pressures, to be too much.

Families either begin to think that they are the problem, or, less frequently, become disenchanted with the entire world of social services. Historically, these sorts of circumstances have often forced parents to place their sons or daughters in institutions.

Current systems, then, are not mandated by the individual and by his or her personal network to assist in general and ongoing planning for community living. Nor are they suitably equipped to perform this task. They lack the comprehensive outlook, the ability to coordinate with other systems and the flexibility required to enable people with handicaps and their families to satisfy their needs over time.

The Need for Expertise

In order to satisfy those needs, considerable knowledge and skill, as well as time and energy, are required. Identifying and putting in place the particular services, professionals and other resources needed by the individual at any given time can be demanding. Understandably, most people have neither the time, the personal resources, the sense of competence nor the inclination to assume this task.

The Need for a New Vehicle: The Fixed Point and Brokerage

If the individual supported by family and friends is to use his or her allocation of dollars to gain access to needed services, a mechanism is needed to forge appropriate links between that person, the funding body and the resources and services available in the community. Hence the notion of an autonomous fixed point of responsibility for planning and service provision within the community. People with mental handicaps and their networks require a planning vehicle that can advise them about how to most effectively use the allocated dollars for services. This vehicle also needs to be able to liaise and provide brokerage for resources and services from government ministries or agencies in the community, and do so with the best interests of the person served as the first priority.

Autonomous

In order to ensure its autonomy, the fixed point of responsibility can neither be tied to nor controlled by the funding body (usually a government ministry) or by direct service systems. Without autonomy, the planning and brokerage services offered by the fixed point would be no more effective than an investment brokerage service offered by a firm directly owned and controlled by such corporations as IBM or General Motors. Instead, the fixed point of responsibility is the duly elected board of directors of an independent and community-based organization. The organization is made up largely of people with handicaps, their family members and other members of their personal networks, all of whom play a significant part in decision-making and policy setting. This structure ensures through normal processes that the board acts in the interests of the people who make up the organization, and that it remains accountable to them over time.

The elected board is in turn responsible for a social service agency providing service brokerage within a given region to people with handicaps who either live in the community or desire to do so.

Zero Rejection

Beside being consumer controlled, the fixed point has a ''zero rejection'' policy. Zero rejection ensures easy access to brokerage services for all people with handicaps in a region who have the necessary funding, regardless of the nature or degree of their handicap.

Having A "Technical Arm": Brokerage

Service brokerage, then, is really the "technical arm" of the fixed point of responsibility. In other words, the fixed point of responsibility acts through a professional agency which makes brokerage services available to people with handicaps and their networks. The fixed point is structured so that brokers are hired by and answerable to the elected board. A structure like this ensures that there are effective safeguards operating to keep brokers, too, responsive and accountable to the people with handicaps and their families who help elect the board.

The mandate of the fixed point of responsibility, acting through the service brokerage agency, is:

- to ensure that continuous and appropriate planning services are made available to individuals and their personal networks;
- to assist the individual, using his or her allocation of dollars, to secure appropriate community-based services;
- to advise the individual and network, so they will be able to make responsible and effective use of the funding allocation.

In order to achieve its mandate, the fixed point is guided by values which influence planning and decision-making at all levels. These values are based on the belief that every individual with a mental handicap, like any other human being:

- is unique in his or her own right, having an unlimited worth, no matter what the nature or degree of handicap;
- has a right to live a life of dignity;
- has a right to maximize personal autonomy and to act as a self-determining citizen;
- has a right to live as a full and valued member of society in the community of his or her choice.

Brokerage: The Missing Link and Catalyst

Service brokerage is a technical, mediating support service. Its primary objective is to enable the person with a handicap to become a full participant in the community. Brokers act as catalysts stimulating the community to respond appropriately to the consumer's needs and demands, and they work with other individuals and organizations involved in this broader social process. Using the brokerage tool, the individual in conjunction with his or her personal network is able to identify and gain access to the particular resources and supports required in the community. In other words, the broker assists the individual and network to "walk through" the service systems, and to use capably the dollars allocated on the basis of the individual's unique needs and strengths. In many ways, service brokerage is like brokerage models operating in the stock market and real estate fields.

Continuity

A key assumption underlying brokerage is that the fixed point of responsibility will continue to act in its capacity over time and that brokerage services will consequently remain available to the individual on an as-needed basis. This note of continuity at the planning level enables the person who has a handicap to have recourse to an identifiable body as service requirements change. The ongoing presence of a vehicle that plans and brings about system change with and on the individual's behalf, in turn provides that person with the assurance that he or she can regularly gain access to the opportunities society provides to its members.

Empathy and Insight

Whether a service brokerage is effective depends largely upon whether it can accurately identify the needs of the people it serves and respond appropriately. Clearly, it cannot function properly unless it listens with empathy and responds with insight.

SERVICE BROKERAGE:

THE ROLE AND THE PROCESS

MISCONCEPTIONS ASSOCIATED WITH SERVICE BROKERAGE: WHAT BROKERAGE IS NOT

A number of misconceptions about service brokerage have arisen among both theorists and practitioners. Some have viewed it as a form of case management. Others have equated it with advocacy. Still others have confused it with family support or with a vehicle for Individual Program Plan (IPP) management. Before the parameters of brokerage are sketched, it is necessary to describe what brokerage is not.

Not Case Management

Traditionally, many professionals who have planning responsibility in the field of mental handicap are employed as case managers. Due to their organizational context, limited mandate and large caseload, case managers do not have enough flexibility and scope to fully address ''client'' needs. They are also much more likely to identify with the system that employs them than with their clients. Where a conflict arises between the needs of the system and those of the client, system needs will usually win out.

For example, the system may be attempting to reduce its operating costs. A one-to-one service offered by the system would come close to meeting one of the individual's needs, but at a greater cost than another, less appropriate service offered by the same system. System dynamics dictate that the case manager will probably tie the less expensive service to the individual. Likewise, a system dealing with hundreds of clients according to case management procedures will be driven to specify which clients will receive the greatest system resources, and when. Almost inevitably, case managers will feel pressure to give priority treatment to the individuals producing the greatest strain upon the system.

Case managers are taught to proceed on the assumption that they are to manage their clients' affairs by managing at arm's length the people and the systems interacting with clients. On a small scale, such an approach may be relatively workable from the system's perspective, but the client is likely to feel little control over his or her own life. As the system's caseload escalates, however, it becomes increasingly difficult for the case manager to keep abreast of everything affecting all his or her clients all the time, especially where the personal network has been effectively locked out of service monitoring. Responding to those issues is another matter. Planning and resource allocation becomes a fragmented, spotty and selective procedure for any given client, while the thrust of the overburdened case manager gradually edges away from proactive case management towards reactive crisis response. No significant amount of control is transferred back to the client, regardless of how difficult it has become for the case manager to possess control. The structure and principles governing case management prevent such a transfer from occuring. These and other system dynamics help assure that planning and service outcomes ultimately fall short of client needs. In many instances, the person with a handicap is forced to seek further technical assistance elsewhere.

In contrast to case management, service brokerage is flexible and controlled by the consumer. By definition service brokerage is a technical, mediating role enabling the broker to cross all system and organizational boundaries in the community, with and on behalf of the individual being served. This flexibility ensures that the needs of individuals, rather than the needs of systems, remain the most important issue. Network involvement in service monitoring makes it possible for the broker to keep up to date about matters affecting the lives of those using brokerage, a prerequisite for making appropriate responses to changing needs.

Yet, the broker's involvement is engaged only at the discretion of the individual and/or his or her personal network, and the broker's salary is paid by an organization directly controlled by the people using the brokerage services. These features provide important checks and balances against professional control, and help ensure that brokers find real incentives to remain responsive to the people they serve. For the service broker, professional power is found not in the amount of control he or she exercises over others. It is a natural result of empowering and enhancing the status of those using brokerage.

Not Advocacy

Advocacy can be defined as the process of defending, recommending, supporting or speaking on behalf of another person. The advocate represents the individual's needs and wants to others and does so from the individual's perspective only.

Particularly if an individual is unable to speak for him or herself, the people who can most legitimately represent that person are those within the personal network. They generally have the understanding of the person and the motivations which entitle them to exercise a prominent role in decision-making around his or her needs. These qualities equip them to speak out on behalf of that individual, and where necessary to challenge systems to address his or her needs and expectations more effectively. Their *right* to act as primary advocates of the individual's interests, and to make demands upon systems, stems from their unpaid and sometimes life-long commitment to his or her well-being.

In contrast, it is not within the role of the service broker (or any paid professional for that matter) to assume an advocacy role and demand that systems respond more appropriately to the individual receiving a service. The broker's relationship and involvement with the individual is a paid one in which he or she provides a technical, professional support service. To advocate formally in this paid capacity would be fundamental conflict of interest and a confusion of roles. Where problems occur in the quality of services delivered by community systems, it is the role of those within the personal network, perhaps aided by corporate advocates, to advocate for the necessary improvements. Where the broker becomes aware that a given system is defaulting on the terms of a contract agreement arranged on behalf of an individual, the broker may play an important role in informing the personal network that a problem does indeed exist.

Not Family Support

Family support services include a range of referral, counselling, therapy, self-help and discussion groups, in-home supports and educational supplements which have proven helpful to families in need. Although the broker works closely with the families of people who have handicaps, he or she does not provide family support services as defined here. Where a family recognizes its need for such services, its members can usually call upon any number of other organizations which will provide assistance.

To say that the broker does not provide family support services is not to imply, however, that the broker is expected to be totally detached. Rather, the skilled broker brings to his or her role considerable sensitivity, and a simple ability to empathize as a fellow human being with individuals and families who in many cases have had to live with the most dehumanizing of social and systemic restrictions.

Not IPP Coordination

If brokerage is not case management, advocacy, or family support, neither is it Individual Program Plan development and coordination. Individual Program Plans, where necessary at all, are most effectively developed and used at the "hands on" level of service delivery. Service providers at that level are most likely to have the kinds of precise information about the individual which can contribute to an effective IPP and its subsequent implementation.

On the contrary, the broker operates on a more general rather than specific level of the service continuum. The broker indeed finds it helpful to be knowledgeable about an individual's IPP, should that person have one for a given area of need and service provision. The broker's services may even be required in drafting the plan and in obtaining formal approval for it from the person served. Yet it is the responsibility of the service provider to implement the IPP once it has been prepared and approved. In fact, most routine and day-to-day planning around the individual's needs is the service provider's responsibility. Assuming that these plans are acceptable to the individual and his or her network, the broker allows matters at the "hands on" level to take their course. The broker keeps him or herself generally aware of the supports and services the individual is using, and stays ready to make new general arrangements should the individual and/or support network think it necessary.

THE ROLE OF THE SERVICE BROKER: AN OVERVIEW

Acting With and On Behalf of Others: An Auxiliary

The service broker can be thought of as an "agent" who works with and on behalf of the person who has a handicap, while at the same time being the technical arm of the fixed point of responsibility.

The brokerage idea is based in part on the traditional if overlooked principle that the proper role of the human service professional is that of an "adjunct" or "auxiliary" of the individual who seeks to arrive at informed decisions while pursuing appropriate goods and services. Using a range of technical and professional skills, the broker simply mediates between the individual requiring services, the people and agencies offering those services, and the structures enabling payment for the services.

Brokers help interpret and explain to people with handicaps and their networks the complex and often confusing aspects of various community systems. With a clearer understanding of how those systems operate and of the limitations and constraints they are likely to impose, individuals and networks can make informed choices that are both realistic and appropriate.

It follows that the broker does not dictate to people what course of action should be taken in any specific situation. Rather, acting as an auxiliary support, he or she enables individuals and networks to see the range of options and to arrive at their own decisions.

An Interpreter

Brokers also provide ongoing technical assistance to agencies and organizations. They help translate the individual's personal needs and goals on behalf of that person and his or her network, and they can help initiate creative responses to changing needs over time. As a personal agent and technical resource, the broker is in a unique position to help mediate misunderstandings or disagreements between the individual, the personal network and service systems.

Accountable to Those Using Brokerage Services

Although the broker can provide these forms of assistance to the service sector, throughout the entire brokerage process he or she remains entirely accountable to the individual and his or her personal network in:

- the identification and clarification of the individual's strengths and needs;
- technical advice on how best to meet these needs;
- service identification;
- funding negotiation;
- contracting with identified service providers;
- implementing and monitoring contractual agreements with community service systems and individual service providers.

At all times, the broker is responsible for ensuring that the individual and network are aware of the implications of any decision reached by themselves or by others in the service chain. For example, the broker might provide an analysis of the impact an educational service is likely to have on the individual. Yet, the broker shares these comments in the capacity of informed agent only. Should there arise a disagreement between the individual, his or her network and the broker, it is not the broker's role to force or oppose decisions undertaken by the individual and network. On the contrary, in every instance of service brokerage, the individual is the final arbiter of all aspects of decision-making and enjoys a formal power of veto over any planning or service acquisition not in his or her best interests.

An Active Partnership

As a professional who facilitates planning and decision-making, the broker tries to maximize the self-determination of the person served. In this connection, the broker complements the natural role of the individual's family and friends, who normally seek to provide the kind of care that promotes the individual's human growth and personal autonomy.

The active partnership between the broker and the personal network also helps the broker to do his or her job effectively. The broker draws from the information passed on by the network as it monitors services around the individual using brokerage. The broker likewise reflects upon the network's insights into the individual's personal situation. Such information allows the broker to keep up to date about matters affecting that individual and to make informed suggestions about alternative community living options as needed. Relying on the advocacy supports that the network also brings into play, the broker can assure the individual using brokerage of more responsive and accountable community services. The nature of this partnership reinforces the ''empowering'' of the individual and his or her network. It ensures that the individual and network remain the focal point of demand in relation to services in the community, while making their own contributions to effective brokerage as well.

The Planning Process

Planning varies from person to person. It is not a set of isolated, mechanical and independent functions. Rather, it is a highly personalized process. It requires that the broker clearly identify and articulate the strengths and needs of the person requiring services within the community. Once these steps have been taken, the broker can then intelligently seek out the range of options that would allow for the right communty-based services and supports to be brought into place around that individual.

Upon referral to the service brokerage agency, a step the individual or network can take themselves, the broker tries before anything else to get to know on a personal basis the individual, his or her family and friends. This important groundwork eventually enables the broker to determine more precisely the individual's unique strengths and needs, and to develop strategies for meeting those needs and for supporting those strengths.

In developing appropriate plans, brokers use an approach sometimes called General Service Planning. This method helps the broker develop a comprehensive profile of the person seeking community living, and provides an outline of the various circumstances necessary to support that person at any given time. For example, a typical General Service Plan might address such things as where a person lives, where they work, learn or play, as well as how they communicate and take care of their personal and medical needs.

Planning With a Sense of Vision

The General Service Plan is important to the individual and network for at least two reasons. First, it allows for the development of a unique ''vision'' of community living which the individual hopes to experience. This vision allows for maximum opportunities to enjoy autonomy and self-determination in the community, yet is a picture with which the individual feels comfortable. It allows the broker to get a sense of the ideal towards which all planning, negotiations for funds, and arrangements for community living should converge. Second, the process in which the General Service Plan is developed enables the individual's present network members to get deeply involved in thinking about the possible community living options and in working to bring those options about if they are presently lacking. By enabling people to develop their own vision of how community living could be, the planning process lays foundations, encouraging the expansion of the network and its subsequent integration into the life of the person served.

Guaranteeing Network Involvement Without Taking Control

Ideally, every person with a handicap would have a personal network before planning commences. At present, there are informal organizations of families and friends which can bring into place relatively large networks around people who are using brokerage and other services. These citizen groups provide an easy way for brokers to ensure that even the person with a minimal or non-existent network receives the necessary supports in decision-making and planning. People in these groups often initiate contact with brokers and service providers prior to planning and service delivery, rather than depending upon the broker to ask for network involvement. They also help the person using brokerage to expand his or her network over time.

Where such citizen groups are not active, however, and where an individual's network is minimal or non-existent, the broker by default facilitates the creation, broadening and involvement the personal network in planning and service monitoring. He or she usually contacts individual people and organizations informally involved in personal advocacy or showing an interest in becoming involved in this capacity. With these people, the broker helps arrange for personal advocates or, where necessary, for a substitute family to become involved with the individual using brokerage. The broker also works closely with staff supporting that individual at home, at work, in leisure settings and in other areas, helping them to devise strategies that would enable a network to develop. Once the network begins to form, the broker pulls back from what is essentially a community organization role.

This ''hands on'' community organization role has its risks. It is difficult for the brokerage agency to avoid being regarded by the community, by government and by other professionals as being the agency properly responsible for network development. Pressures from these circles may mount, tempting the brokerage agency to take control of a process which belongs more properly to citizens in the community than to brokers or other professional agencies. The astute broker understands these risks, and before inheriting full responsibility for developing and bringing networks ''on line'', pulls back from playing too prominent or long term a role with any one individual's network.

Ensuring Links Between Families

As a professional naturally concerned about professional standards, the responsible broker does what is within his or her power and mandate to strengthen the linkages between the families surrounding individuals served by brokerage. The competent broker recognizes that the emotional supports families can provide to one another are irreplacable. He or she also sees that family-to-family linkage creates a pool of experience and practical support. Networks can draw upon these insights as they work through how to deal effectively with service providers, while at the same time upholding the interests of family members who have handicaps. Similarly, brokers and families value the broader sharing of viewpoints during decision-making that result from family-to-family links. This interchange helps ensure that brokers and families act in the best interests of the individuals using brokerage. As professionals, then, brokers ensure that they share any information families may need in order to strengthen their bonds with one another, and initiate family-to-family links where they are not already occuring.

Sources of Information

The General Service Plan document contains the organized information about an individual's strengths, needs, and personal vision for community living. Much of this information comes out of the broker's efforts to get to know the individual on a personal basis, as well as from the broker's involvement with personal network members. Yet, other sources of information may include input or documentation from relevant professionals and services previously, currently, or soon to be involved with the individual receiving brokerage.

Concrete Strategies

The General Service Plan also contains a statement of how the vision for community living can be achieved. This dimension of the planning process requires that the broker explore and appraise existing community resources. Having done that, the broker is in a position to advise the individual and network about the nature and type, as well as the suitability and availability, of various service options. As well, this appraisal of community resources allows the broker to identify gaps in existing services and to recommend viable alternatives. Recommended alternatives may include the creation of new services, the modification of existing ones or other creative options designed to meet identified needs.

Estimating Costs

After all available and necessary information has been gathered and considered, the broker then assists the individual and his or her network to make final decisions about required services and supports. The broker uses skill and objectivity to help these people make decisions that are realistic, particularly where constraining system factors are at play. When these steps have been taken, the broker can use information obtained from various service providers to estimate the costs of the required service and support package.

Obtaining Endorsement or Veto

When the General Service Plan is completed, it awaits formal approval and endorsement by the individual. If for whatever reason it is not possible to obtain approval from the individual, the broker seeks endorsement from the personal network. The broker does not insist upon receiving endorsement for any General Service Plan which either the individual or the network emphatically rejects, but rather changes that plan so it becomes more acceptable.

Negotiating Funds

Once endorsed, the General Service Plan serves as the basis upon which the service brokerage agency, as a contracted representative of the individual and network, negotiates dollars for services from the funding body, usually a government ministry.

Preparing Contracts and Obtaining More Endorsements

Assuming that negotiations with the funding body have been finalized and that the necessary funding (based on the estimated costs of required supports as outlined in the General Service Plan) is allocated to the individual, the broker, as an agent of the individual, finalizes contractual agreements for service arrangements with various service providers. These contractual agreements specify the rights, obligations, and responsibilities of all parties, and should accommodate the individual's strengths, needs and goals as outlined in the General Service Plan. No service contract will be considered finalized until agreed to by the individual and/or the network. Clauses guaranteeing complete and unimpeded access for the personal network are important elements of any negotiated agreement.

Dollars and Services

The actual funding arrangements that the brokerage agency enters into with service providers do not involve direct cash transfers between the funding body and those services. Rather, the concept of allocating dollars to individuals works somewhat like a ''credit card'' system. The brokerage agency receives and holds in trust the dollars which the funding body earmarks for a given individual. The brokerage agency, as his or her agent, disburses to a given service system or to individual service providers a negotiated amount for a particular service. This allocation of dollars, made initially by the funding body, is portable from service to service through brokerage at the consumer's discretion. Funding arrangements include ongoing provision for renegotiation when individual needs and service requirements change. When contracting is completed, the individual will have a range of contractually guaranteed services which he or she has selected to meet identified needs.

The broker plays a prominent role when pulling together the initial General Service Plan and when gaining access to the services initially required. The degree of the broker's subsequent involvement, however, depends upon the individual's circumstances and is discussed in the next section.

ONGOING SERVICE BROKERAGE

Proactive and Reactive, But Not Controlling

Once the broker has ensured that appropriate services are in place and operating satisfactorily, he or she steps back while the individual gets on with his or her life. Unlike case management models where formal follow-up and monitoring are often mandated and compulsory, brokers only become formally reinvolved at the request and discretion of the individual or personal network.

For example, the need for reinvolvement may occur when problems arise within the individual's present community living arrangements or when personal needs shift and require correspondingly new services and supports. The individual may re-engage the broker at that point, or the broker on his or her own initiative may approach the individual and suggest that changes be made to existing community living plans. However the broker is re-engaged, it is not his or her role to usher the individual and network into a prearranged conclusion about the nature of the problem, the best option, and the only choice.

Because the services of the broker may be re-engaged for a variety of reasons, the broker remains generally informed about the individual's circumstances and about the quality of services provided. Accordingly, the broker maintains some active involvement with the individual over time and can do so through informal visits to the person's home, impromptu luncheons and so forth. Likewise, the broker continues to liaise with the relevant service providers and with network members.

On an ongoing basis, the real onus for routine planning and for the quality of a specific service rests with the service provider, responsible for the delivery of a given contracted service. Ideally, the service delivery system, the individual and his or her personal network will liaise effectively and will work through between themselves any difficulties that arise.

GENERAL REQUIREMENTS OF SERVICE BROKERS

Service brokerage puts a range of technical resources at the disposal of the person with a handicap. It enables him or her to develop and act on a vision for a self-determining and dignified life in the community. The competent broker is therefore thoroughly familiar with the psychological and social processes through which individuals meet their essential needs and develop their capabilities.

As a skilled generalist who operates within a broad social and system context, he or she possesses a wide variety of technical and interpersonal skills and has a solid grasp of the fields of knowledge pertinent to the community living of individuals using the brokerage service. On a personal level, he or she has a sound commitment to safeguarding the rights of people with handicaps while empowering them and their networks. The broker is committed to promoting the interests of people with handicaps, each known and respected as unique individuals, and yet feels comfortable playing an auxiliary role in decision-making. He or she is also at home with the notion that his or her power as a professional arises from how effectively he or she empowers others while enhancing their status.

In summary, the effective broker possesses that combination of personal attributes and professional skills which enable him or her to operate effectively in the community and get the "best deal" possible for the person with a handicap. Consequently, measures need to be taken on an organizational level to ensure that conditions prevail in which these professional and personal qualities can be developed and preserved.

CONCLUDING COMMENTS

Service brokerage is one component of an integrated support nucleus and provides a framework for planning and implementing service delivery. Developed by families seeking to achieve the goal of full and dignified community integration of people with mental handicaps, it allows for both flexibility and creativity in the process by which it identifies and triggers community responses to the needs of the individual.

Service brokerage empowers the individual with a handicap as a consumer in the community. At the same time, it can act as a catalyst stimulating the community to devise innovative responses to the individual's needs, which are sometimes diverse and challenging.

It is the individual who is allocated dollars, who is supported by a personal network made up of family and friends, and who augments his or her capabilities by using the technical, professional supports of a service broker. In return, the individual supported by his or her personal network controls the planning and decision-making process and brings about a needed measure of service monitoring and evaluation.

Service brokerage eliminates the need for the funding body's involvement in service planning and direct service provision. Instead, it leaves the funding body free to assume its primary responsibilities of monitoring fiscal expenditure and the quality of services and programs. In this connection, service brokerage can be viewed as a technical skill purchased by the funding body to provide ongoing planning supports to the individual and his or her personal network in the community. Its obligations to the government and to the people using the brokerage services effectively ensure accountability to both the individual with a handicap and to the taxpayer, while actively involving the individual directly in decision-making. This approach has significant implications for the cost-effective use of scarce economic resources and is consistent with the trend towards greater consumer control in decision-making and resource allocation.

Service brokerage is flexible because it is designed to be interdependent with the other components of the support nucleus. It is this aspect of brokerage's operation that prevents it from developing into a large and inflexible bureaucratic structure. Without a healthy degree of openness to citizen input and consumer control, systems quickly expand, give rise to powerful vested interests, and consolidate power over those served. In contrast, brokerage presupposes citizen input and consumer control. It presupposes the free operation of the many checks and balances at work within the support nucleus. These checks and balances, normally excluded from larger structures, ensure that brokers remain alert to the need for changes in individuals' community living arrangements. They prevent brokerage from becoming an entity unto itself.

Service brokerage is not limited in its potential applications to people with mental handicaps. It is applicable to a cross-section of individuals in the community, including older people and people with special or challenging needs, like people with mental illnesses or visual impairments.

The service brokerage concept is relatively new and will require further development and refinement. In this regard, the cooperation and support of people with mental handicaps, their families and other advocates, as well as service providers, professionals and policy makers will ensure its continuing relevance to the field of mental handicap.

The challenge of enhancing the status and life opportunities of people with mental handicaps is an urgent task. The concept of service brokerage offers one effective approach towards the achievement of these goals.

GENERAL SOURCES OF INFORMATION

Allen, D., and Stefanowski Hudd, S., ''Are we Professionalizing Parents? Weighing the Benefits and Pitfalls'', in *Mental Retardation,* vol. XXV, No. 3, American Association on Mental Deficiency, 1987, pp. 133-139.

Canadian Association for Community Living, *Community Living 2000,* Toronto, CACL, 1987.

Community Living Board and the Provincial Com Serv Committee of the BCAMR, 1978, a submission by, *A Proposal for an Experimental and Demonstration Comprehensive Community Service Project for British Columbia,* Reprint by The Canadian Association for the Mentally Retarded, 1978.

The Community Living Society, *Serving People Who Have a Mental Handicap: A BLUEPRINT FOR ACTION,* Published by the Community Living Society, 1983.

Crawford, C., *History of the Woodlands Parents' Group,* Unpublished paper, 1983.

Flynn, R.J., and Nitsch, K.E., editors, *Normalization, Social Integration, and Community Services,* Baltimore, University Park Press, 1980.

Kappel, B., Forest, M., Ioannou, M., McWhorter, A., *Making a Difference,* ed. Ioannou, M., vols. I-V, Toronto National Institute on Mental Retardation, 1986.

McKnight, J., ''Regenerating Community'', from *Proceedings of the Canadian Mental Health Association's Search Conference,* Ottawa, CMHA, 28 Nov. 1985.

O'Connell, M., ''Things Go Better with Neighbours'', an interview with John McKnight, in *SALT,* June 1986, pp. 4-11.

Richler, D., and Pelletier, J., *Major Issues in Community Living for Mentally Handicapped Persons: Reflections on the Canadian Experience,* Toronto, National Institute on Mental Retardation, Oct. 1982.

Rioux, M. & Crawford, C., *CHOICES,* Published by the Community Living Society, 1983.

Salisbury, B., *An Alternative Model for Community Living: A Canadian Perspective,* Unpublished paper, 1986.

Salisbury, B., *Service Brokerage: A Discussion of the Role,* Unpublished paper, 1986.

Salisbury, B. & Salter, L., *An Exploration of the Concept of Service Brokerage: Providing Individuals With Choices,* Unpublished paper, 1986.

Stainton, T., *Service Brokerage: A Model of Support for Demand Based Service Delivery,* Unpublished paper, 1986.

Stainton, T., *The Impact of Funding Structures on Individuals With a Mental Handicap: A Call For Reform,* Unpublished paper, 1985.

Stainton, T., *Deinstitutionalization and Community Living: History, Issues and Model,* Unpublished paper, 1985.

Wolfensburger, W., *Reflections on the Status of Citizen Advocacy,* National Institute on Mental Retardation and the Georgia Advocacy Office, Inc., 1983.

Wolfensberger, W., *Voluntary Associations on Behalf of Societally Devalued and/or Handicapped People,* National Institute on Mental Retardation and the Georgia Advocacy Office, Inc. 1984.

Wolfensberger, W., *Normalization,* Toronto, National Institute on Mental Retardation through Leonard Crainford, 1972.

Woodlands Parents' Group, *Development of a Comprehensive Community-Based System of Service as an Alternative to Woodlands, a presentation to the Minister of Human Resources, 1977,* Woodlands Parents' Group, 1977.

RECENT PUBLICATIONS FROM THE G. ALLAN ROEHER INSTITUTE

ORDER ADDRESS: The G. Allan Roeher Institute
Kinsmen Building, York University
4700 Keele Street
Downsview, Ontario
M3J 1P3
Telephone: (416) 661-9611

Prices are subject to change without notice.

entourage, a quarterly bilingual magazine, provides the most current information on people who have an intellectual handicap. Whether you're interested in integrated education, supported employment, living in the community or keeping up with the most current programs and news in the field, **entourage** provides it.
Subscriptions: $16 Canadian $18 foreign (1-year)
$30 Canadian $34 foreign (2-year)

The G. Allan Roeher Institute — *Vulnerable: Sexual Abuse and People with an Intellectual Handicap.* 1988

CACL
Community Living 2000. 1987 $2.00

The G. Allan Roeher Institute — *More Education/Integration.* 1987 $15.00

Audrey D. Cole — *Pre-Natal Diagnosis: Why?* 1987. $5.00

Brian Salisbury, Jo Dickey, Cameron Crawford — *Service Brokerage: Individual Empowerment and Social Service Accountability.* 1987 $16.00

The G. Allan Roeher Institute (NIMR) — *Child Care Training for Adults with Mental Retardation Volume II — Toddlers.* 1987
Instructor's Manual $12.00 Trainee's Manual $3.00

The G. Allan Roeher Institute — *The Family Book: For parents who have learned their child has a mental handicap.* 1986 $6.00

The G. Allan Roeher Institute (NIMR) — *Mandate for Quality: Examining the Use of the Public Authority to Redesign Mental Retardation Service Systems.* Volume III.
Changing the System: An Analysis of New Brunswick's Approach. 1986 $12.00

The G. Allan Roeher Institute (NIMR) — *Making a Difference: What communities can do to prevent mental handicap and promote lives of quality.* 1986 Five volumes $5.00 each or $20.00 for set.

The G. Allan Roeher Institute (NIMR) — *Education/Integration: A collection of readings on the integration of children with mental handicaps into regular school systems.* 1984 $12.00

THE DIRECT INFORMATION ACCESS LINK (DIAL) is an easy-to-operate communication network that links people across Canada who have access to a computer and who are working on behalf of individuals with an intellectual handicap. Members of **DIAL** can share information, communicate, send and receive documents and work on joint projects. Annual subscription fee is $37.50 plus $6.50 for each hour you use **DIAL.** Contact The Roeher Institute for details.

Publications in the field of intellectual impairment produced by other publishers are also available from The G. Allan Roeher Institute. Write or call to request a publications catalogue. (Note: The G. Allan Roeher Institute was formerly the National Institute on Mental Retardation.)

PUBLICATIONS DE L'INSTITUT G. ALLAN ROEHER

ENVOYEZ VOTRE COMMANDE À : L'Institut G. Allan Roeher
Édifice Kinsmen
4700, rue Keele
Downsview (Ontario)
M3J 1P3
Téléphone : (416) 661-9611

Les prices indiqués peuvent changer sans préavis.

Entourage est un magazine bilingue publié quatre fois l'an qui offre à ses lecteurs l'information la plus à jour dans le domaine de la déficience mentale. Si l'intégration scolaire, le travail avec soutien, l'intégration dans la collectivité ou les programmes et les nouvelles les plus récents vous intéressent, c'est **entourage** qu'il vous faut lire.

Abonnement : 16 $ (Canada)/18 $ (étranger)
30 $ (Canada)/34 $ (étranger)

Assoc. canadienne pour l'intégration communautaire — *Intégration communautaire 2000.* 1987, 2 $

L'Institut G. Allan Roeher — *Éducation/Intégration,* Volume II. 1987, 15 $

L'Institut G. Allan Roeher — *Le petit livre des parents.* 1986, 6 $

L'Institut G. Allan Roeher — *Des Gestes qui comptent : des mesures collectives ayant pour but de prévenir l'apparition du handicap intellectuel et de promouvoir une qualité de vie pour tous.* 1986. Cinq volumes. 5 $ chacun ou 20 $ pour la série.

L'Institut G. Allan Roeher — *Éducation/Intégration — une collection d'écrits sur l'intégration, dans le système scolaire actuel, des enfants qui ont un handicap intellectuel.* 1984, 12 $

L'Institut G. Allan Roeher — *Le Jeu pour le jeu — Comment se servir des jeux coopératifs comme méthode d'intégration.* 1984, 6 $

L'Institut G. Allan Roeher offre également divers ouvrages sur la déficience mentale publiés par d'autres organisations. Il vous suffit de nous écrire ou de nous donner un coup de fil pour obtenir une copie du répertoire des publications.

(N.B. : L'Institut G. Allan Roeher s'appelait autrefois l'Institut canadien pour la déficience mentale.)

L'Institut G. Allan Roeher

Institut national canadien pour l'étude des politiques sociales touchant les personnes qui présentent une déficience intellectuelle.

L'Institut G. Allan Roeher s'est fixé les deux buts suivants :

- ☐ Faire le meilleur usage possible des connaissances actuelles dans le but d'identifier et d'anticiper les tendances futures susceptibles de faciliter la présence, la participation et la contribution, au sein de la communauté, des personnes qui présentent une déficience intellectuelle.
- ☐ Encourager l'échange d'idées dans le but de développer de nouvelles façons de percevoir la personne qui présente une déficience intellectuelle.

L'Institut G. Allan Roeher, par l'entremise de sa recherche, de la formation qu'il offre, de ses services de consultation et de ses publications, aide l'individu, la famille, les divers groupes communautaires, les pourvoyeurs de services et les gouvernements à développer des stratégies d'intégration communautaire qui permettent à la personne d'atteindre la plus grande autonomie et la plus grande autodétermination possible.

L'Institut G. Allan Roeher est parrainé par l'Association canadienne pour l'intégration communautaire, une organisation bénévole qui regroupe plus de 400 associations locales et 12 associations provinciales et territoriales. Ces associations ont toutes un but commun : elles cherchent à promouvoir l'intégration communautaire des personnes qui présentent une déficience intellectuelle. Les activités de L'Institut reflètent fidèlement les principes de l'Association canadienne pour l'intégration communautaire. Selon ces principes, chaque personne a le droit d'être membre à part entière de la communauté.

Recherche et élaboration de politiques

L'Institut G. Allan Roeher dirige et parraine toute une gamme d'activités de recherche portant principalement sur la politique sociale et le financement des programmes publics, les programmes sociaux innovateurs et l'élaboration de nouvelles politiques.

La formation

L'Institut prépare des programmes et du matériel de formation à la demande de divers organismes, ministères et groupes privés. Ceci va de la préparation de matériel écrit à la réalisation de matériel audiovisuel et même à la tenue de cours ou d'ateliers de formation.

Le Service national d'information et de ressources

Le Services national d'information et de ressources offre les services suivants : le service des publications, qui publie et vend des ouvrages; le centre de documentation, avec ses 10 000 ouvrages pertinents au domaine de la déficience mentale; et les services audio-visuels, où on peut louer ou acheter des films produits par L'Institut et par d'autres organisations.

Pour de plus amples renseignements, écrivez-nous :

L'Institut G. Allan Roeher
4700, rue Keele
Édifice Kinsmen
Downsview (Ontario)
M3J 1P3
(416) 661-9611

TABLE DES MATIÈRES

Brian Salisbury
Jo Dickey
Cameron Crawford

PRÉFACE

Au cours des quelques dernières années, les Canadiens se sont rendus compte que leurs gouvernements ont une obligation d'investir plus d'énergie pour s'assurer que chaque citoyen est traité également, et que chaque personne reçoit une quote-part équitable des avantages de la société. Cette prise de conscience est reflétée dans la loi (la Charte des droits et libertés et l'extension de la législation concernant les droits de la personne) et dans les politiques. On retrouve également cette prise de conscience dans la transformation des attitudes du public et le changement des revendications dirigées vers les systèmes sociaux, tels que les institutions scolaires, les agences immobilières, les cabinets de médecins et d'avocats, les parcs et les centres récréatifs, les services individuels, le réseau de transport, les bureaux de placement et les points de vente des biens de consommation (pour n'en nommer que quelques-uns). Il ne s'agit plus de décider si chaque membre du public a droit aux services sociaux, mais plutôt d'assurer qu'on peut fournir à chacun ce dont il a besoin, de façon juste et équitable.

Conformément à cette nouvelle attitude, on remarque que les procédures traditionnelles n'ont été conçues pour répondre d'une façon adéquate ni aux besoins de ceux qui présentent un handicap, ni aux besoins de leurs familles. On commence alors à prendre des initiatives visant à découvrir et mettre à exécution des démarches alternatives qui entraîneraient soit des changements, soit le remplacement des structures et relations du système en vigueur. Ceci permettrait à la société de venir à l'aide de la personne handicapée d'une façon qui soit compatible avec la nouvelle compréhension des droits des personnes présentant une déficience intellectuelle.

Le courtage de services, un concept unique développé par les parents de personnes dévalorisées est essentiellement une réponse compréhensive aux besoins réels de ces derniers. Le concept est fondé sur le fait qu'une personne handicapée est tout à fait capable de mener une vie impliquant pleins droits de participation dans la communauté. Ceci prend pour acquis que certains liens critiques qui sont absents des systèmes de services sociaux existants doivent être mis en place si la société compte donner pleins pouvoirs à chaque personne. Le courtage est aussi basé sur une compréhension du fonctionnement des systèmes présentement en place. On est conscient du fait que ces derniers ne répondent pas toujours aux besoins de ceux qu'ils servent, et de plus, de tels systèmes ont tendance à empêcher ceux qui sont à la recherche de services d'exercer une influence déterminante sur les décisions prises. Le courtage cherche à rectifier cette situation en créant une situation où tout système doit justifier son existence à la personne concernée, et doit remettre le pouvoir de prendre des décisions entre les mains du client.

Le courtage en soi n'est qu'une dimension d'un noyau de soutien à trois volets. Ce noyau de soutien est conçu pour fonctionner dans le contexte de l'ensemble des services et des mécanismes de soutien fournis par la société à tous ses membres.

À l'intérieur de ce noyau de soutien, le courtage de services devient le volet technique d'un mécanisme de planification autonome communautaire contrôlé par le consommateur lui-même. Le mécanisme de planification fonctionne comme un point fixe de responsabilité qui vise à établir un plan d'action avec la collaboration de chaque personne de la communauté qui présente un handicap. En tant que tel, ce mécanisme est complètement autonome vis-à-vis ceux qui fournissent les fonds nécessaires (souvent un ministère) et ceux qui fournissent un service direct. Il est important de noter que ce véhicule planificateur n'a pas pour mandat de rédiger son propre plan d'action pour les personnes handicapées qui ont besoin de services communautaires. On doit prendre pour acquis que chaque

membre de la société a le droit d'être maître de soi-même, bien que dans certains cas, il ait besoin d'un service de soutien pour le faire d'une façon efficace. Par conséquent, le « point fixe » dont on parle offre un service de courtage sur demande aux personnes handicapées selon leurs exigences. Généralement, il s'agit d'un conseil d'administration dûment élu qui se trouve à la tête d'une organisation communautaire et indépendante ayant charge d'une agence professionnelle de services fournissant des services de courtage.

Le noyau de soutien comprend comme deuxième volet le réseau interpersonnel de l'individu : c'est-à-dire sa famille et ses amis intimes. Fonctionnant en tandem avec le système de courtage, la fonction essentielle de ce réseau est d'appuyer le client dans la prise de décision et de permettre l'évaluation des services et mécanismes de soutien que les courtiers ont rassemblés autour de celui-ci.

Le noyau a pour troisième volet le financement individualisé. Ceci implique la répartition de fonds parmi les personnes ayant des handicaps, tout en tenant compte des besoins particuliers et des ressources personnelles de chacun d'entre eux.

Quoique les trois éléments du noyau de soutien soient distincts, ils s'emboîtent et se complètent. Ce n'est que lorsque chacun des trois éléments est en place autour du client que les courtiers peuvent fournir les mécanismes de planification autonome qu'ils sont censés établir. Ensemble, les trois composantes permettent au courtier de donner à l'individu et à son réseau interpersonnel une pénétration dans le marché (la société), et un accès à des services et des mécanismes de soutien qui répondent à des besoins bien précis, tout en lui laissant payer sa part. Ensuite, le courtier vient à l'aide du client et de son réseau interpersonnel en assurant que les organisations de services et de support se justifient et s'expliquent d'une façon responsable, et qu'ils accomplissent leurs devoirs de la façon attendue.

Donc, il existe trois éléments inséparables qui se complètant :

1. le réseau interpersonnel
2. des fonds individualisés
3. un véhicule de planification autonome, fonctionnant comme point fixe de responsabilité pour la planification, et offrant le courtage de services à une personne appuyée par son réseau interpersonnel.

Chaque composante a été conçue pour répondre à des problèmes directement reliés au système actuel. Ensemble, ils donnent pleins pouvoirs aux personnes ayant une déficience intellectuelle, leur permettant d'exercer un rôle significatif dans la prise des décisions touchant leur vie. Cette triade d'éléments permet donc à la personne handicapée et son réseau personnel de prendre des décisions éclairées concernant les mécanismes de soutien convenables qui sont nécessaires pour vivre en communauté. Ceux qui ont à l'origine identifié les éléments critiques qui étaient absents des systèmes de service et de soutien de la société, et qui ont établi un système de courtage avec ses composantes connexes commencent à voir qu'il est effectivement possible d'assurer une participation égale au sein de la société à tous les citoyens.

La présente monographie donne une vue d'ensemble compréhensive du concept du courtage de services et apporte des précisions à certains aspects importants de son fonctionnement. Cette documentation saura, nous l'espérons, stimuler les consommateurs, les défenseurs des droits des personnes handicapées, les professionnels, les pourvoyeurs de services, et les auteurs de politiques. Avec un engagement sérieux et un effort concerté, l'intégration hospitalière au sein de la communauté peut devenir réalité.

Marcia H. Rioux
Directeur de L'Institut G. Allan Roeher.

REMERCIEMENTS

L'évolution de cette monographie doit beaucoup au grand nombre d'individus qui partagent un sens d'engagement dans la lutte pour le droit de toute personne présentant une déficience intellectuelle de vivre comme membre de la communauté à part entière. Sans la vision et l'aide pratique de ceux-là, l'envergure et l'impact potentiel de cette monographie seraient réduits d'une façon significative.

En particulier, on ne pourrait trop souligner le rôle qu'a joué un regroupement de familles créé dans les années soixante-dix en Colombie-Britannique dans le but de promouvoir un changement significatif au système social, et la création d'un programme global pour mettre ces changements en oeuvre. Ces familles ont continué de mettre en pratique une approche systémique alternative qui vise à identifier et à répondre aux besoins des leurs. En fin de compte, celle-ci devient une méthode efficace pour donner pleins pouvoirs à ceux qui présentent une déficience intellectuelle tout en accentuant la responsabilité qu'ont les systèmes de services sociaux de faire un compte rendu plus détaillé de leurs activités. C'est à ces familles que nous rendons hommage et offrons des remerciements de premier ordre.

En ce qui concerne la formulation de cette monographie, les auteurs veulent offrir leurs remerciements aux individus suivants qui ont prêté leur assistance à la rédaction et à la révision de ce document : Georgia Chertkow, Al Fabro, Kathryne Frayling, Lori Ferguson, Sherline Jacques, Carol Rawluk, Brian Gawley, Don Reed, Ken Pook, Jackie Maniago, Glen McClughan, John Peterson, Becky Rawluk, Tim Stainton, Lynn Salter, Marcia Rioux, Andrew Frayling, Trish Salisbury, Babs Stewart, Michèle Swiderski, Karen Yarmol, Patricia Meyer, et Miria Ioannou.

En dernier lieu, les auteurs tiennent à remercier tout particulièrement Brian McKenney. Ses réflexions et sa perspicacité, acquises au cours de plusieurs années d'expérience pratique dans ce domaine, ont permis d'apporter plusieurs changements importants au texte final.

Malgré le fait que le courtage de services existe depuis les années soixante-dix, il est important de signaler qu'il existe peu d'information à ce sujet. Il est certain qu'il y a peu de documentation traitant de ce sujet d'une façon à la fois systématique et globale. Le fait que ce genre de publication exigerait énormément de temps et d'énergie de la part de ceux qui travaillent dans le domaine du courtage de services et des réseaux interpersonnels n'est pas le moindre des facteurs contribuant à une pénurie de matériel publié; des horaires chargés et les pressions et contraintes habituelles du système ont encouragé peu de travail écrit. En outre, le concept lui-même est entouré de confusion et de malentendus, en partie parce que le peu de materiél publié à date représente une compréhension soit incomplète, soit erronée du courtage et ses éléments connexes. Les auteurs de cette monographie sont d'avis que si ce projet contribue à une compréhension accrue du concept du courtage dans un contexte de système, l'intégration au sein de la communauté de ceux qui présentent une déficience intellectuelle sera avancée. Tout au moins, il est espéré que cette monographie soit un instrument d'information qui comblera les lacunes qui existent et dissipera quelques-uns des malentendus.

PROBLÈMES ET QUESTIONS EN DISCUSSION

La personne qui a l'impression de maîtriser sa propre vie est plus susceptible d'éprouver une certaine joie de vivre. Les gens valorisent donc le droit de prendre des décisions concernant les choses qui les touchent. Cette conviction, c'est-à-dire que l'autodétermination et l'autonomie personnelle sont des valeurs importantes, est reflétée dans notre Charte des droits et libertés, dans nos lois, et dans nos politiques sociales. Nous prenons couramment ces valeurs pour acquises et, lorsque ces valeurs sont bafouées, nous considérons instinctivement que nos droits fondamentaux ont été offensés.

DROITS FONDAMENTAUX ET OBSTACLES INTRINSÈQUES AU SYSTÈME ACTUEL :

contrôle, « droits de propriété », et responsabilité

Le droit à l'autodétermination et à l'autonomie personnelle est cependant souvent refusé à ceux qui présentent une déficience intellectuelle. Ceci est particulièrement vrai lorsque les personnes concernées exigent un soutien considérable et durant toute leur vie.

Par exemple, même les pourvoyeurs de soins qui ont les meilleures intentions du monde peuvent protéger une personne handicapée jusqu'au point d'assumer le contrôle de sa vie, tout en lui refusant toute occasion d'exercer ses propres facultés d'autodétermination. Ce genre de domination peut se produire au sein de la famille, entre amis, ou dans les service sociaux; elle est courante dans les situations où la personne concernée ne peut pas exprimer d'une façon intelligible ses besoins personnels, ses préférences, et ses décisions.

Elle est présente surtout dans le contexte des services sociaux où la personne qui présente un handicap a l'impression d'être « la possession » d'une autre. On a souvent l'impression que les autres exercent un droit de propriété inexprimé sur la personne en question. Ceci implique beaucoup plus que le refus d'accepter le droit d'une autre personne de prendre ses propres décisions. Une telle attitude semble encourager les pourvoyeurs de services à considérer les personnes handicapées comme des biens à sauvegarder, à utiliser, ou à mettre de côté, et ceci à la discrétion de ceux qui donnent les soins, au profit de ces derniers, ou de l'organisation pour laquelle ils travaillent. Parce que la personne handicapée s'est vu nier l'influence que possède tout autre membre de la société, cette personne est particulièrement vulnérable à cette « possession » par autrui.

En outre, les services sociaux ne se justifient pas généralement aux personnes qui présentent une déficience intellectuelle. C'est-à-dire qu'ils que ne ressentent pas l'obligation de s'expliquer aux consommateurs. D'habitude, il existe des intérêts engagés plus puissants qui exercent de l'intérieur (ou de l'extérieur) des services mêmes une influence beaucoup plus considérable. Le client éprouve donc énormément de difficulté à obtenir, de la part du système, des réponses à ses exigences personnelles.

Réponses problématiques aux besoins de la personne

Traditionellement, on a confié la responsabilité de répondre aux besoins des personnes qui présentent une déficience intellectuelle à des programmes gouvernementaux et à des organisations bénévoles. Tout comme pour n'importe quel autre membre de la société, les besoins d'une personne handicapée sont divers. Les besoins peuvent se modifier et quelquefois deviennent très complexes. Les méthodes employées traditionnellement pour répondre à cette grande variété de besoins n'ont joui que d'un succès partiel.

L'approche clinique

L'un des facteurs qui contribuent à ce succès limité est la façon dont les auteurs de politiques et les pourvoyeurs de services considèrent les personnes utilisant les systèmes actuels. Si on utilise un modèle clinique, on a tendance à compartimenter l'individu. Il est alors vu comme une série de besoins et de problèmes distincts. On peut prendre comme exemple une personne qu'on nommera Arthur Leblanc. Avec une approche clinique, Arthur Leblanc devient purement une question d'hébergement pour ceux qui travaillent dans le secteur du logement, un problème d'emploi pour l'agence de placement et un ensemble de particularités médicales pour les services médicaux. L'image d'Arthur Leblanc comme personne complète se perd au cours du processus. On a aussi tendance à créer des projets à grande échelle pour s'occuper de ce qu'on pourrait nommer des catégories principales d'exigences. Par exemple, au lieu de confier son problème de logement à une institution financière ou à un bureau de logement, et le problème de soutien à domicile à des individus ou organisations fournissant déjà un tel service, on crée d'autres programmes qui sont censés répondre à des besoins de logement d'une façon globale. On présente alors des programmes « tous faits » où le dénommé Arthur trouvera toute une gamme de services y compris les « services résidentiels », le « personnel », et les « programmes d'entraînement à la vie » dont on s'imagine la nécessité. En réalité, ces projets à grande échelle n'arrivent pas à satisfaire ses besoins réels.

L'approche « secouriste »

Cette compartimentation dont on parle produit chez les auteurs de politiques une approche secouriste où on ne vise qu'un problème à la fois. Ainsi, certaines organisations essaieront de traiter uniquement le problème de logement, d'autres auront affaire avec les difficultés d'emploi, et d'autres encore tenteront de répondre aux questions d'ordre médical. Le gouvernement pour sa part considérera la personne qui présente un handicap comme un défi budgétaire, ou bien un problème de zonage. On s'aperçoit que la fragmentation de la personne au niveau de la politique et de la provision des services complique la situation pour les divers ministères et les services sociaux bénévoles. On note en effet la difficulté qu'éprouvent les organisations à collaborer étroitement pour répondre aux exigences globales d'Arthur Leblanc, l'être humain.

La planification imposée

Un problème tout aussi important, c'est l'effort que font certaines organisations pour contrebalancer les services fragmentaires en instaurant un système de planification globale pour répondre aux besoins complets de la personne. Dans la pratique cependant, ceci veut dire qu'on refuse au client, disons Arthur Leblanc, le droit, la liberté et l'authorité de diriger sa propre vie. On lui refuse aussi l'occasion de demander l'appui de ses proches ou d'autres organismes professionnels. De cette façon, les organismes et les professionnels tentent d'organiser et de gérer son existence, en pensant qu'ils ont une obligation formelle de le faire.

L'exclusion de la famille et des amis

Le fait que l'on empêche la famille et les amis de la personne qui présente une déficience intellectuelle d'encourager les prises de décisions de celle-ci est un autre facteur qui contribue au succès limité des approches traditionnelles. Un exemple permettra sans doute de rendre cet énoncé plus facile à comprendre.

Règle générale, les gens aiment bien entendre les idées et les opinions de leur famille et de leurs amis, surtout quand il s'agit d'acquérir des biens matériels ou autres. Cette consultation informelle se fait chaque fois qu'une personne prend une décision éclairée. Qui plus est, en impliquant ce cercle intime dans toute prise de décision, l'individu s'assure un certain degré de contrôle efficace et informel sur les services ou les biens acquis. Par exemple, il est possible de douter de la qualité d'un meuble acheté récemment. Il se peut, cependant que ces doutes ne soient pas venus à l'esprit au moment de l'achat. Quand l'imperfection est réelle, mais est passée inaperçue, les membres de la famille et les amis sont les premiers à offrir leurs observations et à exprimer leurs doutes. Suite aux réactions de ces derniers, il se

peut que l'acheteur change d'idée et essaye d'être remboursé. Si le commerçant refuse de donner satisfaction, le consommateur est appuyé d'une façon pratique et émotionnelle par son cercle d'amis et sa famille. Ces derniers peuvent aller jusqu'au point d'exercer des pressions sur le marchand. C'est ce réseau personnel qui garantit la satisfaction de l'acheteur. Ce réseau d'appui devient de plus en plus important lorsqu'il s'agit de choix plus sérieux, par exemple, une carrière, un déménagement, des services médicaux ou scolaires, ou un investissement quelconque.

Par contre, quand quelqu'un est étiqueté comme déficient intellectuel et qu'il a besoin d'un soutien plus poussé dans ses prises de décision, et qu'il réclame cet appui, il s'aperçoit souvent que le système et la bureaucratie l'ont isolé des personnes auxquelles il peut se fier. La sensation d'isolement devient plus aiguë au moment où on doit prendre une décision importante. Dans certaines circonstances, même le réseau interpersonnel sera incapable d'intervenir, même après la prise de décision. Il est regrettable que les personnes mêmes qui ont à coeur de protéger les intérêts particuliers d'une personne avec un handicap n'aient pas la possibilité de vérifier les résultats de la décision. Et lorsqu'une personne désire inclure son cercle intime dans sa prise de décision et qu'on l'en empêche, le processus naturel de surveillance qui mettrait normalement un frein aux excès, aux abus et aux omissions de ceux qui fournissent soit les biens de consommation, soit les services sociaux, se trouve paralysé.

Il est fort possible qu'il n'existe point de solution simple au grand nombre de questions complexes de la société. Manifestement, les interactions de plusieurs variables politiques, économiques et sociales servent à perpétuer la position dévalorisée des gens qui présentent un handicap. Ceci rend encore plus difficile la tâche des systèmes sociaux qui est de s'intéresser au mieux-être de la personne qui reçoit les services. Néanmoins, il faut se pencher sur ces problèmes complexes du système et de la société et les résoudre. Ce n'est que si ces problèmes sont résolus qu'on pourra garantir que tous les membres de la société jouiront de pleins droits de participation aux activités de la communauté.

IL FAUT ABORDER LA QUESTION D'UN AUTRE ANGLE

Quelques principes de base

Toute nouvelle approche qui vise à intégrer avec succès les personnes qui présentent une déficience intellectuelle dans la société devra garantir leur droit fondamental d'exercer au maximum leur autodétermination et leur autonomie personnelle. Une telle approche cherchera à s'accommoder aux préférences et aux aspirations personnelles. Elle remettra le contrôle de la prise de décision entre les mains de l'individu et de son cercle d'amis et de sa famille. Elle s'arrangera pour s'assurer que chaque individu et son réseau, reçoivent l'aide dont ils ont besoin. De cette façon, ceux-ci pourront prendre des décisions éclairées qui répondent aux exigences de la personne dans un contexte communautaire en employant des moyens naturels et rentables. Pour atteindre ces objectifs, il faut une structure plus souple qui prendra en considération les besoins de chaque personne individuellement. Il faudra aussi que cette structure accroisse la responsabilité des systèmes vis-à-vis le client, en faisant passer les besoins de ce dernier avant leurs propres exigences.

Historique

Les principes mentionnés ci-dessus ne sont ni le produit d'un organisme gouvernementale, ni l'invention d'une organisation de services sans but lucratif. Ils proviennent d'un regroupement de familles de la Colombie-Britannique qui, dans les années soixante-dix, étaient aux prises aves les injustices associées aux services sociaux de cette époque. Ces parents ont fourni l'élan nécessaire pour effectuer des changements. De plus, leurs idées ont servi de base théorique et de structures pour changer les systèmes d'une façon significative.

Les parents se sont rendus compte que les services et mécanismes de soutien qui leur étaient offerts étaient incapables ou peu disposés à répondre aux besoins de leurs enfants, dont un grand nombre

avaient été étiquetés gravement ou profondément handicapés et placés dans des institutions psychiatriques. De plus, ces parents ont éprouvé, chacun à leur tour, leur impuissance face aux systèmes de services, en grande partie parce que les systèmes en question refusaient de reconnaître le rôle important des parents dans la vie des leurs. Le fait que plusieurs de ces mêmes problèmes ne sont pas encore résolus peut être attribué en partie à un manque de volonté et même de capacité de la part de ces systèmes d'évoluer et de changer.

LES ÉLÉMENTS PRATIQUES : LES COMPOSANTES DU NOYAU DE SOUTIEN

On retrouvait, dans l'approche développée par les parents, l'idée du « courtage de services ». Le courtage n'est que l'une des composantes d'un noyau de soutien à trois parties interdépendantes mis en place autour de la personne qui présente le handicap. Voici les composantes essentielles du noyau de soutien :

- *Un financement individualisé.* Autrement dit, il faut effectuer un calcul de l'argent nécessaire au client en tenant compte de ses points forts, de ses besoins individuels et des services exigés. Cet argent est alors rattaché de manière permanente à la personne en question, et le montant varie selon ses besoins. Cette façon de fournir les fonds est radicalement différente de celle qui consiste à répartir l'argent « au nom » de la personne handicapée. Ceci permet au client qui reçoit un support financier de s'en servir pour planifier et se procurer les services dont elle a besoin pour vivre dans la communauté.
- *Le réseau interpersonnel.* Ce réseau est composé des amis et de la famille de la personne qui présente le handicap et qui veut vivre dans la communauté. Les personnes qui composent ce réseau jouent un rôle primordial dans les prises de décisions affectant la vie de la personne handicapée. Quoique les membres du réseau tiennent compte des opinions et des points de vue des pourvoyeurs de services, l'importance du réseau et son rôle décisif l'emportent, surtout lorsque le client est incapable de s'exprimer. Dans une situation où l'individu démontre qu'il peut se défendre, et qu'il n'a besoin que d'un minimum d'appui moral pour prendre ses propres décisions éclairées, les membres de son réseau fournissent de l'aide supplémentaire uniquement à la requête de la personne concernée.
- *Un point fixe de responsabilité.* La troisième composante du noyau de soutien est un point de responsabilité fixe et autonome. On doit s'assurer que celui-ci se justifie et donne un compte rendu de ses activités à la personne handicapée et à son réseau. Le point fixe fournit des mécanismes de soutien qui permettent une planification continue et pertinente. *Ce troisième élément est mis en oeuvre par l'entremise de sa branche technique, le « courtage de services ».* Le courtage aide donc le réseau et le client à identifier les ressources personnelles et les besoins de ce dernier. Ensemble, l'individu, son réseau et le service de courtage développent une approche et des arrangements personnalisés, ce qui permet l'obtention de services appropriés au sein de la communauté.

Chacune de ces composantes traite des domaines où les systèmes traditionnels n'ont pas réussi à répondre aux besoins des personnes handicapées et de leurs familles. Fonctionnant en étroite collaboration, les trois volets réussissent à donner au client le pouvoir d'exercer son autorité dans les prises de décision qui le touchent. De cette façon le noyau de soutien au complet protège et rehausse l'autonomie et l'autodétermination de la personne concernée.

Par souci de clarté, les composantes du noyau de soutien sont souvent décrites séparément, avec, de temps à autre, des discussions plus détaillées de l'un ou l'autre des éléments. Il faut tout de même veiller

à ne pas perdre de vue le fait que ces trois éléments sont étroitement reliés et sont interdépendants. C'est en effet le fonctionnement interdépendant des trois éléments qui habilite l'individu, qui remet le contrôle à la personne et à son réseau, qui sauvegarde leurs libertés et leurs droits dans le système tout en les aidant à prendre les décisions importantes.

LE NOYAU DE SOUTIEN

LE FINANCEMENT INDIVIDUALISÉ
Ou les ressources financières rattachées directement à la personne, selon ses besoins, ses points forts et les services requis

Toute personne qui vit avec dignité et autonomie dans la communauté jouit aussi d'une confiance qui lui permet de prendre chaque jour les décisions importantes qui la touchent, ou tout au moins de les influencer. Cependant, c'est un fait que la majorité des personnes qui présentent une déficience intellectuelle sont victimes du caractère dominant et parfois capricieux des services sociaux communautaires. Ceci est compréhensible lorsqu'on considère les points soulignés tout le long de la discussion précédente.

Pourquoi ré-évaluer les structures de financement : Qui dit ressources financières dit contrôle

Un autre facteur évident qui limite l'autodétermination des gens qui présentent une déficience, c'est la façon dont on finance actuellement les services sociaux. On a de plus en plus tendance à favoriser les services et les programmes et non les individus. Les programmes reçoivent les fonds, et les clients doivent se débrouiller pour obtenir les services désirés. Parce que les systèmes en question ont un contrôle absolu sur la façon de dépenser ces fonds, ce sont eux qui déterminent le genre et la qualité des services qu'ils fourniront. Il s'ensuit que la personne qui présente un handicap jouit de peu de droits, de peu de choix et de peu d'influence en tant que consommateur. Il a peu d'options, et doit par conséquent dépendre des services offerts.

Le financement des programmes peut entraîner une insuffisance dans les services

Par ailleurs, ceux qui fournissent les fonds, (d'habitude, un ministère), ne considèrent guère les résultats du service pour le consommateur comme étant un critère de financement. La réalité c'est que les allocations visent typiquement les dépenses courantes du système. On calcule alors les fonds en utilisant ce qu'on pourrait appeler des mécanismes de financement « en bloc ». Autrement dit, le ministère ou autre source de fonds alloue des sommes globales pour alimenter les programmes résidentiels, scolaires ou récréatifs de telle ou telle agence, présumant qu'un certain nombre d'individus y participent. On ne se demande pas si ce programme nuit ou aide. Si le programme est financé pour répondre aux besoins de deux cent personnes et qu'une vingtaine d'entre elles s'avèrent insatisfaites, il est facile de remplacer ces dernières. Il y a toujours quelqu'un pour prendre les places libres. De cette façon, on peut satisfaire aux exigences administratives tout en ne tenant aucun compte des besoins individuels.

Le financement des programmes peut renforcer les mauvaises impressions

Typiquement, les arrangements financiers destinés aux services et aux programmes ont été conçus pour répondre aux exigences d'un groupe de personnes et non aux besoins particuliers d'un client. Par exemple, on peut obtenir des fonds pour répondre aux besoins de certaines personnes qui ont été étiquetés comme autistiques. Ensuite, on tentera de fournir les mêmes services au groupe entier. Ce genre de financement produit forcément des programmes du genre « services residentiels pour autistiques », au lieu d'aménager des logements où elles se sentent chez elles. Certes, il est plus facile de créer et d'ad-

ministrer un service de groupe que de répondre aux besoins variés et changeants d'un individu isolé. Mais c'est un fait que la manière dont on fournit le financement sert à perpétuer les regroupements et à cataloguer les personnes ce qui, comme on le sait, va à l'encontre du bien-être de la personne.

Les fonds sont dépensés d'une façon inappropriée aux besoins du client

De même, la dynamique de tout système sert à perpétuer le système existant et à maintenir le statu quo. Le système invente alors des critères qui sont à la fois restrictifs et protecteurs pour déterminer qui recevra tel ou tel service, quand il le recevra et jusqu'à quel point. Certains clients sont forcés de s'accommoder des services que le système fournit, quelque soit leur pertinence; alors que d'autres n'ont même pas la possibilité d'utiliser ces services. Les exclus dont on parle ici sont les personnes qui ne satisfont pas aux exigences du système. Il se peut alors que le dénommé Arthur Leblanc soit expulsé de son logement, de la communauté elle-même, parce qu'on n'arrive pas à répondre à ses besoins dans le contexte du programme en place. Les systèmes qui fonctionnent de cette façon restrictive deviennent rigides et incapables de répondre aux besoins individuels. Il faut reconnaître que c'est un usage inapproprié de l'argent des contribuables. Il est difficile de s'assurer que les organismes et les systèmes financés « en bloc » produisent le maximum de bien pour chaque dollar dépensé. Comment peut-on évaluer d'une façon efficace les dépenses fiscales quand il n'est pas clair que les personnes concernées reçoivent les bénéfices souhaités. Les personnes ayant un handicap intellectuel sont par conséquent souvent obligées de chercher d'autres services, d'accepter des services inappropriés, ou bien d'être rejetées purement et simplement.

Il est donc évident qu'une personne ayant un handicap a peu d'influence soit sur l'allocation des fonds, soit sur la façon dont ils sont dépensés, tandis que les systèmes qui font les dépenses ont tendance à limiter et à contrôler ceux qu'ils sont censés servir. L'effet ultime est de concentrer encore davantage le pouvoir qu'ont les systèmes de services. Ceci entraîne une érosion de la capacité de ces mêmes services de répondre à l'individu et de justifier leur conduite. Et il devient difficile de fournir à l'organisme responsable du financement et au contribuable un compte rendu de l'efficacité des dépenses. Dans une telle situation, la personne handicapée et ses défenseurs éprouvent de la frustration et une impuissance face au système.

Nouvelles pressions sociales : on exige une réforme

Un nombre croissant de consommateurs de services communautaires expriment leur insatisfaction quant au manque actuel de contrôle de la part de ceux qui utilisent les services, et le peu de justification, d'explication et de sensibilité de la part des systèmes eux-mêmes. Les consommateurs et leurs défenseurs exigent par conséquent le droit de contrôler le financement à l'origine des services. Ils se sont rendus compte qu'en contrôlant les fonds, ils pourraient jouir d'une répartition plus équitable des pouvoirs et des libertés, tout en utilisant d'une façon plus efficace une ressource limitée.

Des arrangements plus équitables sont possibles

La planification de bonnes stratégies pour répondre aux besoins de la personne est une activité continue. Les exigences des systèmes de services doivent refléter les modifications des besoins. Comment alors, peut-on s'assurer que les systèmes de services répondent de façon plus équitable et plus appropriée aux besoins de l'individu dans leur dépenses des ressources provenant des contribuables? On a déterminé que la société devait faire les démarches suivantes :

- On doit insister pour que les pourvoyeurs de services dans les domaines gouvernementaux et bénévoles commencent à se centrer sur la personne qui utilise le système, pour que les services soient conçus pour s'ajuster aux ressources personnelles, aux besoins et aux exigences en terme de services à mesure qu'ils se modifient.
- On doit attacher plus d'importance aux décisions du client. On doit aussi permettre à celui-ci une influence accrue, et lui donner le pouvoir nécessaire pour rendre les systèmes plus souples, pertinents et responsables.
- On doit créer des structures de financement qui permettent la mise en oeuvre des deux démarches précédentes.

Les structures de financement peuvent être soit favorables soit nuisibles aux efforts de la société pour répondre aux besoins de l'individu. La façon la plus certaine d'assurer la souplesse, la pertinence et la responsabilité chez un système, c'est de veiller à ce que les fonds provenant du gouvernement aillent directement à la personne et non aux organismes, aux programmes ou aux services.

Le concept de financement individualisé, tel que décrit ici, est fondé sur les hypothèses suivantes :

- Les personnes qui présentent une déficience intellectuelle doivent avoir la possibilité de prendre leurs propres décisions en ce qui concerne entre autres le marché des services sociaux.
- Le gouvernement doit veiller à faire participer les consommateurs dans les prises de décision qui touchent à la dépense de fonds publics dans des domaines affectant directement leur façon de vivre.
- Les systèmes de services de doivent jamais contrôler le processus de la prise de décision.

Le financement individualisé présente plusieurs avantages, notamment :

- Il y a une réduction du contrôle et de la « possession » exercée par le système.
- Il favorise l'autodétermination chez l'individu.
- Il encourage l'intégration au sein de la communauté.
- Le client est le centre d'attention et n'est pas en danger de se retrouver prisonnier d'un service « sans issue ».
- La révision et l'évaluation des services deviennent plus efficaces et plus générales, de sorte que le choix individuel peut aider à déterminer quelles ressources économiques devraient continuer à supporter tel ou tel service.
- Il relie la dépense de fonds publics plus directement à la satisfaction éprouvée par les consommateurs. Les pourvoyeurs de services doivent être conscients des besoins réels et des exigences en terme de services de la part du client.
- Il rend possible un compte rendu fiscal plus franc de la part des fournisseurs de services envers les fournisseurs de fonds.
- Il stimule chez les services sociaux l'utilisation plus efficace de chaque dollar reçu et la recherche de façons innovatrices de répondre aux besoins du consommateur.
- Il réduit l'incompétence au sein des services, et décourage le développement de services inefficaces.
- Il favorise une association plus active entre l'organisme de financement, l'individu servi, son réseau de soutien personnel, le courtage de services et les pourvoyeurs de services.

Ce transfert de fonds publics aux individus plutôt qu'aux systèmes de services est un pas important vers le déplacement du point de contrôle du système au consommateur.

LE RÉSEAU DE SOUTIEN PERSONNEL : UN APPUI PRÉCIEUX

Définition

Le réseau de soutien personnel est composé des personnes qui appuient, maintiennent et rehaussent l'autonomie de la personne qui présente une déficience intellectuelle. L'élément clef de tous rapports interpersonnels est un engagement sérieux. On peut considérer comme membre de ce réseau toute personne qui s'engage formellement dans la vie de l'individu recevant des soutiens, et envers laquelle l'individu réagit positivement. Puisque ce sont habituellement les membres de la famille qui prennent cet engagement à long terme envers l'individu, ceux-ci sont les membres clés du réseau. Par contre, les travailleurs salariés, bien qu'ils fournissent les soutiens et les services, ne peuvent pas généralement partager d'une façon libre et sans motif avec leurs clients. Par conséquent, on ne les considère pas comme faisant partie du réseau interpersonnel, quoiqu'il y ait des exceptions. On ne veut évidemment pas minimiser l'importance de ces aides rénumérées. Celles-ci peuvent aider beaucoup la personne handicapée et son réseau à prendre des décisions éclairées. Il est important de reconnaître ce rôle essentiel.

Pourquoi exclut-on les réseaux naturels?

Malgré l'importance des réseaux de soutien personnels dans la vie d'une personne qui présente une déficience intellectuelle, on a tendance à exclure les amis et la famille d'une participation active en déniant leur rôle. Les points suivants expliquent en partie cette situation regrettable :

- Puisque plusieurs services sociaux perçoivent la personne qui présente une déficience intellectuelle comme incapable de maintenir des relations qui soient à la fois significatives et réciproques, on prend pour acquis que cette personne ne peut ni développer, ni jouir des avantages d'un réseau.
- Le fait qu'on comprend mal les effets de la ségrégation et de l'isolement empêche souvent l'aménagement d'un réseau efficace qui pourrait soutenir la personne handicapée.
- Il existe une longue histoire au cours de laquelle on a confié aux pourvoyeurs de services, aux médecins, hommes de loi et professionnels des services sociaux le pouvoir de prendre toute décision, en supposant que cet investissement de pouvoir et de contrôle était juste et légitime.
- Il existe aussi une supposition de longue date qui veut que les amis et la famille d'une personne qui présente une déficience intellectuelle soient incapables de jouer le rôle principal dans la prise de décisions, ou tout au moins que ce serait inapproprié de leur permettre d'agir ainsi. Ceci implique que les professionnels savent supposément mieux comment prendre les meilleures décisions possibles et fournir les mécanismes de soutien essentiels.
- Un autre facteur qui entre dans l'exclusion du réseau est le rôle qu'ont joué les professionnels et les pourvoyeurs de services dans l'érosion de la confiance qu'ont les amis et la famille ne leurs propres capacités d'offrir toute une gamme de soutiens à la personne handicapée.

La fonction du réseau

Il n'est pas suffisant de simplement habiliter les personnes qui présentent une déficience intellectuelle au moyen de mécanismes fiscaux qui facilitent une réallocation de fonds aux services sociaux dans la communauté par voie de l'individu, ou bien d'avoir recours à un service de courtage qui permet un choix plus libre parmi les options de services. Ces activités deviennent bientôt inefficaces si le client ne peut pas communiquer ses besoins et ses aspirations. Il est évident que plusieurs personnes nécessitent de l'aide quand il s'agit de prendre une décision. Même les personnes qui pourraient prendre leurs propres décisions avec peu d'aide supplémentaire attachent de l'importance aux opinions et aux observations de ceux auxquels ils se fient et qui ont à coeur leur bien-être. Il est naturel et juste qu'une personne demande conseil d'une autre, surtout quand la décision prise aura un impact important sur sa qualité de vie. Comme on l'a indiqué auparavant, de telles situations ne se différencient aucunement des situations du même genre que connaissent ceux qui ne sont pas étiquetés comme handicapés. Ces derniers, tout comme une personne qui présente un handicap, apprécient les diverses opinions qui leur permettent de prendre des décisions éclairées, réalistes et appropriées.

Les avantages d'un réseau de soutien personnel

Le réseau interpersonnel présente les avantages suivants :

- Le réseau fournit à la personne qui en a besoin un porte-parole ou un émissaire qui peut agir en son nom.
- Le réseau répond aux besoins de la personne handicapée, surtout en créant une ambiance d'amitié et de bienveillance.
- Ce cercle composé d'amis et de membres de la famille aide à transmettre les points forts, les exigences et les aspirations de l'individu à d'autres, et facilite ainsi la planification et la mise en oeuvre des services.
- De plus, on est assuré que dans tous les aspects de la planification et de l'aménagement des services, on accorde au caractère unique de chaque personne l'attention qu'il faut.
- Le réseau, en agissant comme sauvegarde, accentue la responsabilité des services sociaux envers leurs clients.

- Il fournit plusieurs niveaux de contrôle et d'équilibre en acceptant la responsabilité sérieuse de prendre des décisions au nom de la personne qui n'est pas capable de décider de son propre chef d'une façon informée, en consultation avec celle-ci.

Si on veut obtenir la participation efficace et significative du réseau interpersonnel, il est important que celui-ci ait accès à l'individu, au processus de planification, et aux services utilisés. Cet accès doit être complet et libre d'entraves, limité seulement à la discrétion de la personne concernée. De plus, on doit admettre le rôle important des membres de ce réseau en ce qui concerne la vie et les prises de décision de la personne recevant du soutien. Si son importance n'est pas reconnue par les pourvoyeurs de services, et qu'il n'a pas accès sans restrictions à tous les aspects de la provision de services, le réseau se verra incapable d'influencer la qualité des services fournis. Il ne pourra non plus participer de façon éclairée à toute prise de décision, (là où la personne réclame cette option, ou en a besoin à cause d'une condition qui empêche une communication claire), si on n'accepte pas l'importance de son rôle.

LE POINT FIXE ET AUTONOME DE RESPONSABILITÉ : UN SYSTÈME DE PLANIFICATION ET DE COURTAGE QUI S'EXPLIQUE ET SE JUSTIFIE AU CLIENT

Un problème de logistique

Les personnes qui présentent un handicap et leurs familles ont souvent énormément de difficulté à avoir libre accès aux services, tels les foyers communautaires, les milieux scolaires intégrés, les programmes de garderie, le soutien à domicile, le dépannage à la maison, et les emplois. Souvent, ces services ne peuvent pas, ou ne veulent pas répondre à ces exigences. Il se peut que le programme désiré n'existe pas. En outre, la qualité de certains de ces programme laisse beaucoup à désirer.

Un problème peut-être plus fondamental encore est celui de la disponibilité des renseignements; il est difficile d'obtenir une réponse précise quant à l'endroit où se donnent les services, leur coût, l'accessibilité et la qualité des divers services actuels. De plus, il n'y a ni véhicule, ni stratégie qui peut aider les clients et leur famille à obtenir des services de la communauté et d'autres ressources jugées appropriées.

Ces situations existent parce que nulle organisation dans le cadre des services communautaires actuels n'est équipée pour appuyer le réseau personnel du client dans le développement de plans personnels susceptibles de répondre à ses besoins et de l'aider à vivre au sein de la collectivité. C'est un fait que cette planification fragmentée oblige les personnes qui présentent une déficience intellectuelle à passer d'un programme à un autre, d'un professionel à un autre, leurs besoins n'étant toujours pas comblés. Voilà une histoire bien connue de nombreuses familles. Il est vrai que certains individus handicapés, grâce à un réseau fermement établi, peuvent faire face à cet état de choses, mais plusieurs autres deviennent des victimes et se retrouvent dans le système de justice criminelle ou de santé mentale.

À cause de cette pénurie de choix, les familles sont souvent obligées de prendre soin de leurs enfants à domicile, pour une période de temps considérable. Encore une fois, ils doivent aller à la recherche de renseignements, toujours auprès d'une variété de professionnels, et ensuite aller quêter les services et les soutiens nécessaires. Souvent, ils découvrent que ces services ne sont pas disponibles. Ils doivent alors apprendre à se débrouller avec le fait qu'ils seront les pourvoyeurs de soins primaires durant la vie entière de leur enfant. Quelques parents trouvent que ceci, en conjonction avec toutes les autres pressions personnelles et sociales, est trop exigeant. Ils commencent à penser que ce sont eux qui ont un problème, ou parfois perdent complètement foi en l'ensemble des services sociaux. Depuis toujours, ce sont ces conditions qui obligent les parents à mettre leurs enfants en institution.

On peut dire, alors, que les systèmes présentement en place n'ont été mandatés ni par le client, ni par son réseau personnel pour assister dans la planification continue nécessaire pour une vie en communauté. Dans plusieurs cas, ils ne sont même pas équipés pour accomplir cette tâche. Il existe un

manque au niveau des éléments suivants : une vue d'ensemble, la capacité de coordonner avec d'autres programmes, et la souplesse nécessaire pour permettre à un individu présentant une déficience intellectuelle et à sa famille de trouver satisfaction à leurs besoins au cours des années.

L'expertise

Pour satisfaire à ces besoins, il faut avoir à sa disposition une connaissance profonde, des talents considérables, beaucoup d'énergie et du temps. L'identification et la mise en oeuvre des services particuliers, des professionnels et d'autres ressources sont souvent exigeantes. Il est compréhensible que la plupart des gens n'aient ni le temps, ni les ressources personnelles, ni le sentiment de compétence, ni l'inclination nécessaires pour assumer une telle responsabilité.

Un nouveau véhicule

Si le client, soutenu par son cercle d'amis et sa famille, propose d'utiliser les fonds qui lui sont alloués pour se procurer les services nécessaires, il faut un mécanisme capable d'établir les liens entre la personne handicapée, l'organisme de financement et les ressources et services communautaires, d'où la notion d'un point de responsabilité fixe et autonome qui se charge de planifier et de fournir les services à la communauté. Les personnes présentant une déficience intellectuelle et leurs réseaux exigent un véhicule planificateur qui peut les aviser quant à la meilleure utilisation possible des fonds alloués pour tel ou tel service. Ce véhicule doit être capable de fonctionner comme élément de liaison et de courtier vis-à-vis les ressources provenant du gouvernement ou des organisations communautaires. Ceci doit se faire en donnant priorité au bien-être du client.

L'autonomie

Pour être autonome, le point fixe de responsabilité ne peut ni être lié à l'organisme de financement ni être contrôlé par celui-ci (généralement un ministère) ou par les systèmes de services directs. Sans autonomie, les services de courtage et de planification offerts par le point fixe seraient à peu près aussi efficaces qu'un service de courtage d'investissements offert par une agence contrôlée directement par IBM ou General Motors. Dans le domaine des services sociaux, le point fixe de responsabilité est composé du conseil d'administration, dûment élu, d'une organisation communautaire indépendante. Cette organisation est composée en grande partie des personnes qui présentent une déficience intellectuelle, de leurs familles et d'autres membres du réseau personnel de chacun; tous jouent un rôle significatif dans la prise des décisions et l'élaboration des politiques. Cette structure garantit que le conseil agira dans l'intérêt de ceux qui adhèrent à l'organisation, et qu'il sera plus susceptible de se justifier continuellement aux membres.

Ce conseil élu est responsable d'une organisation qui fournit le courtage de services, dans une région donnée, à ceux qui vivent déjà dans la communauté ou qui aimeraient le faire.

L'acceptation totale

Outre le fait qu'il est dirigé par les consommateurs, le point fixe a comme politique l'acceptation complète. Ceci garantit un accès aisé aux services de courtage pour toute personne présentant une déficience, quelles que soient la nature et la sévérité de cette déficience.

Le courtage comme branche technique

Le courtage de services est en somme la branche technique du point fixe de responsabilité. Autrement dit, le point fixe met un service de courtage à la disposition du consommateur et de son réseau par l'entremise d'un organisme professionel. Le point fixe est conçu de telle façon que les courtiers sont les employés du conseil, et comme tels, ils s'en rapportent continuellement au conseil. Ainsi, on s'assure que les courtiers eux aussi acceptent la responsabilité de se justifier, de s'expliquer à ceux qui ont élu le conseil, c'est-à-dire, les personnes handicapées et leur réseau familial.

Le mandat du point fixe de responsabilité, par l'entremise de l'organisme de courtage de services, est le suivant :

- Il doit assurer au consommateur et à son réseau la disponsibilité des services de planification continus et appropriés.
- Il doit procurer des services communautaires à la personne handicapée, en se servant des fonds alloués à cette dernière.
- Il doit conseiller le consommateur et son réseau, pour qu'ils puissent utiliser responsablement et efficacement les fonds alloués.

Afin de remplir ce mandat, le point fixe de responsabilité est dirigé par des valeurs qui influencent la planification et les prises de décision à tous les niveaux. Ces valeurs sont fondées sur l'hypothèse qui veut que chaque individu, handicapé ou non, possède les droits suivants :

- Il est unique et sa valeur n'a pas de limite, peu importe la nature ou la sévérité de son handicap.
- Il a le droit de vivre avec dignité.
- Il a le droit de maximiser son autonomie personnelle, et d'agir comme toute personne capable de prendre ses propres décision.
- Il a le droit de vivre où il veut, comme membre actif et estimé de la collectivité.

Le courtage : chaînon manquant et catalyseur

Le courtage de services est un service de soutien technique et un médiateur. Son objectif principal est de permettre à une personne présentant une déficience intellectuelle de devenir un participant actif dans la communauté. Les courtiers jouent le rôle de catalyseurs en stimulant la communauté à répondre d'une façon appropriée aux exigences du consommateur. Ce faisant, ils encouragent d'autres personnes et d'autres organisations à s'impliquer dans un processus plus vaste. Utilisant le courtage comme outil, le client, conjointement avec son réseau, peut identifier les ressources et les soutiens dont il a besoin et y avoir accès. Autrement dit, le courtier permet au consommateur et à son réseau de « magasiner » parmi les systèmes de service, et d'utiliser d'une façon capable les fonds alloués selon les points forts et les exigences uniques de l'individu. On constate ici que le modèle de courtage fonctionne comme le système du même nom dans les domaines des sociétés immobilières et de la bourse.

Une action continue

L'une des hypothèses clef du concept de courtage est que le point fixe de responsabilité continuera d'agir de façon que les services offerts soient disponibles aux consommateurs au besoin. Ce service continu au niveau de la planification permet au client d'avoir recours à un organisme identifiable lorsque les besoins individuels se modifient. Cette présence permanente d'un véhicule qui planifie et qui effectue des changements au sein du système de la part de l'individu assure à celui-ci l'accès aux avantages dont les autres membres de la société jouissent.

Sensibilité et perspicacité

L'efficacité d'un système de courtage dépend en grande partie de sa capacité d'identifier les besoins de ses clients et d'y répondre convenablement. Il est certain que ce système ne peut pas agir comme il le faut à moins qu'il n'écoute avec sensibilité et n'agisse avec perspicacité.

LE COURTAGE DE SERVICES

QU'EST-CE QUE LE COURTAGE ET COMMENT FONCTIONNE-T-IL?

Un grand nombre de malentendus concernant le courtage de services sont survenus parmi les théoristes et les practiciens. Quelques-uns le voient comme étant une forme de gestion de cas. D'autres croient que c'est une question de dépense des droits. D'autres encore le confondent avec le soutien à la famille, ou bien ils le voient comme véhicule de gestion du Programme de planification Individualisée. Avant de définir le courtage de services, il est important de définir ce qu'il n'est pas.

Ce n'est pas la gestion de cas

Il est arrivé à maintes reprises que des professionnels responsables de la planification dans le domaine de la déficience mentale y soient également employés comme chargés de cas. Étant donné le contexte d'organisation, les limites de leur mandat et le grand nombre de dossiers qui leur sont confiés, les chargés de cas n'ont ni la souplesse ni les moyens de répondre d'une façon globale aux besoins de leurs clients. Ils ont beaucoup plus tendance à s'identifier avec le système qui les embauche et non avec les clients eux-mêmes. Quand un conflit se présente entre les besoins du système et les besoins de l'individu, ce sont généralement ceux du système qui prévalent. Par exemple, il se peut qu'un système soit en voie de réduire ses coûts d'exploitation. Un service individuel répondrait mieux aux besoins du client, mais serait beaucoup plus coûteux qu'un service moins approprié mais moins dispendieux. Les dynamiques du système veulent que le chargé de cas opte pour le service le moins coûteux. De même, un système qui répond aux besoins de plusieurs clients serait obligé de spécifier quel client recevra quel service à quel moment. Inévitablement, les chargés des cas se sentiront forcés d'accorder la priorité à la personne qui exige le plus du système.

On montre aux chargés de cas à gérer les affaires de leurs clients en tenant à distance les personnes et les systèmes qui ont des rapports avec les clients. Avec un programme de peu d'envergure, une telle approche peut convenir au système, mais le client risque d'éprouver un manque de contrôle dans sa vie. Cependant, au fur et à mesure que le nombre de dossiers augmente, il devient de plus en plus difficile au chargé de cas de se tenir au courant de tout ce qui peut toucher ses clients, surtout là où on a exclu le réseau personnel du processus de vérification et de contrôle du système. Dans un tel système, la planification et l'allocation des ressources se font d'une façon fragmentée, inconsistente et sélective, et ceci aux dépens du client. En même temps, le chargé de cas, surchargé de dossiers, cesse de chercher l'avancement de chaque cas, et fini par se contenter de réagir aux urgences. Le contrôle n'est pas remis entre les mains de l'individu, bien que le gestionnaire éprouve une difficulté croissante à maintenir ce contrôle. Ce sont les structures et les principes gouvernant la gestion de cas qui empêchent un tel transfert. C'est cette dynamique du système, entre autres, qui fait que les résultats de la planification et des services ne répondent nullement aux exigences du client. Dans plusieurs instances, la personne présentant une déficience intellectuelle est obligée de chercher ailleurs l'assistance technique dont elle a besoin.

Contrairement à la gestion des cas sociaux, le courtage de services est souple et contrôlé par le consommateur. Par définition, le courtage est un médiateur technique qui permet au courtier de traverser les limites de tout système, de toute organisation fonctionnant dans la communauté. Ceci est fait au nom de la personne concernée et avec sa participation. La souplesse du courtage garantit l'importance des besoins de chaque personne, et non des exigences d'un système. La participation du réseau à l'évaluation des services fournis permet au courtier de se tenir au courant des événements qui affectent la vie de l'individu utilisant le système de courtage, ce qui est une condition préalable pour toute réponse appropriée à des besoins changeants.

Néamoins, la participation du courtier est au gré du consommateur et de son réseau interpersonnel, et le salaire du courtier est payé par une organisation qui est directement dirigée par ceux qui utilisent le système de courtage. Ce sont ces deux principes qui fournissent les éléments d'équilibre automatique des pouvoirs du professionnel, en assurant que ce dernier trouve de vraies raisons de demeurer attentif aux besoins des personnes concernées. Pour le courtier de services, le statut professionnel ne dépend pas de l'influence qu'il peut exercer sur les autres; c'est plutôt un résultat logique du rehaussement du statut de la personne handicapée.

Ce n'est pas la défense des droits

Le courtage de services peut se confondre avec la défense des droits de ceux qui présentent une déficience intellectuelle. Le rôle du défenseur suggère la défense de l'individu, les recommandations, les offres de soutien, ou l'intervention au nom de l'individu. Le défenseur prône les besoins de ce dernier auprès des autres. Il voit les choses du point de vue du client.

Particulièrement si le client est incapable de s'exprimer, c'est le réseau interpersonnel de celui-ci qui occupe la meilleure position possible pour le représenter d'une façon légitime. Le réseau est bien équipé pour comprendre la personne, et il a la motivation nécessaire qui l'autorise à jouer un rôle important dans la prise de décision concernant les besoins de l'individu. Ces qualités permettent aux membres du réseau de parler franchement de la part du client, et où cela s'avère nécessaire, de mettre les systèmes au défi de répondre plus efficacement aux exigences et attentes fondamentales du client. Leur engagement sérieux de toute une vie envers l'individu, de même que leur position non-salariée est une confirmation de leur droit d'agir comme défenseur principal.

Par contre, le courtier (ou autre professionnel) ne possède pas ce droit; ce n'est pas à lui de revendiquer quoi que ce soit de la part de l'individu recevant un service. Les relations entre le courtier et le consommateur sont d'ordre professionnel où le courtier fournit seulement un service de soutien technique et professionnel. Agir en tant que défenseur entraînerait un conflit d'intérêt fondamental ainsi qu'une confusion de rôles. Là où les problèmes surviennent dans la qualité des services fournis par les systèmes communautaires, on a recours au réseau interpersonnel, aidé peut-être par des défenseurs officiels. Le réseau peut alors réclamer les améliorations nécessaires. Quand le courtier est au courant des défauts actuels d'un arrangement contractuel mis en place pour le consommateur, le courtier lui-même peut jouer un rôle important en informant le réseau de l'existence du problème.

Ce n'est pas le soutien à la famille

Les services de soutien à la famille comprennent tous les éléments suivants : les groupes de counselling, de thérapie, d'aide personnelle et de discussion. Ils comprennent aussi du soutien à domicile et des suppléments pédagogiques. Tous ces services s'avèrent utiles. Bien qu'il travaille avec les familles de ceux qui présentent une déficience intellectuelle, le courtier ne fournit pas le genre de soutiens énumérés ici. Quand une famille se rend compte qu'elle a besoin d'un service, elle peut faire appel à d'autres organisations qui pourront l'aider.

Le fait que le courtier ne fournit pas les services de soutien à la famille ne veut pas dire cependant que celui-ci doit rester complètement détaché de la situation. Au contraire, il doit apporter à son rôle une sensibilité considérable et l'habileté de partager avec des personnes et des familles qui ont souvent vécu les restrictions sociales structurales les plus déshumanisantes.

Ce n'est pas le plan de programme individualisé

Si le courtage n'est ni la gestion des cas sociaux, ni la défense des droits, ni le soutien à la famille, ce n'est pas non plus le développement et la coordination d'un Programme de planification individualisé (P.P.I.). Lorsqu'il s'avère nécessaire, le P.P.I. est développé et utilisé avec beaucoup plus d'efficacité au niveau de la provision des services. Les pourvoyeurs de services à ce niveau ont probablement le genre de renseignements précis qui contribuent à un P.P.I. efficace et à sa réalisation subséquente.

Le courtier quant à lui, fonctionne à un niveau plus général, dans le continum des services. Le courtier trouvera sons doute utile de connaître utile le P.P.I. de l'individu, lorsque celui-ci a un tel programme pour répondre à un besoin particulier ou pour obtenir un service précis. Il est fort possible que l'on passe appel au courtier pour rédiger le plan et obtentir l'approbation de la personne concernée. Cependant, c'est le pourvoyeur de services qui est responsable de la mise en oeuvre du P.P.I. une fois celui-ci préparé et approuvé. En effet, la majeure partie de la planification routinière qui vise à répondre aux besoins d'une personne relève du pourvoyeur. En prenant pour acquis que les plans sont jugés acceptables par la personne handicapée et par son réseau de soutien personnel, le courtier se retire et laisse la mise en oeuvre se faire. Le courtier se tient au courant des soutiens et des services que l'individu utilise, et il est toujours prêt à ajuster les arrangements à la demande du consommateur ou de son réseau de soutien.

LE RÔLE DU COURTIER DE SERVICES, VUE D'ENSEMBLE

L'intervention au nom de la personne handicapée et avec la collaboration de celle-ci

On peut considérer le courtier de services comme étant un « agent » qui travaille au nom de la personne présentant une déficience intellectuelle, avec la collaboration de celle-ci, et qui joue en même temps le rôle de branche technique du point fixe de responsabilité.

Le concept du courtage dans ce contexte est fondé en partie sur le principe traditionnel (bien que négligé) selon lequel le rôle d'un professionnel travaillant dans le domaine des services sociaux est d'être l'adjoint ou l'auxiliaire du consommateur qui cherche à prendre des décisions éclairées concernant l'acquisition des services et des biens appropriés. En se servant de toute une gamme de compétences techniques et professionnelles, le courtier agit comme médiateur entre l'individu nécessitant les services, les personnes et les organisations offrant ces services et les structures de financement qui défraient le coût de ces services.

Le courtier aide à interpréter et à expliquer aux personnes handicapées et à leur réseau les aspects complexes et souvent mêlants des divers systèmes communautaires. Avec une compréhension plus claire de la façon dont ces systèmes fonctionnent, et les limites et les contraintes qu'ils pourraient imposer, l'individu et son réseau peuvent prendre des décisions éclairées qui sont à la fois réalistes et appropriées. Il s'ensuit que le courtier n'impose pas les mesures à prendre dans telle ou telle situation particulière. Au contraire, en agissant comme soutien auxiliaire, ce dernier permet aux personnes concernées d'examiner toute la gamme d'options possibles et d'arriver à leurs propres décisions.

Un interprète

De plus, le courtier fournit de l'assistance technique et continue aux divers organismes et organisations. Il aide à transmettre de la part de la personne et son réseau les besoins et les ambitions de celle-ci; le courtier peut aider à trouver des réponses innovatrices à des exigences qui vont forcément changer avec le temps. Agissant comme agent personnel et ressource technique, le courtier se trouve dans une position unique où il peut jouer le rôle de médiateur en cas de malentendus ou de désaccords entre l'individu et son réseau d'un côté, et les systèmes de services de l'autre.

Il s'en rapporte aux consommateurs des services de courtage

Bien que le courtier fournisse de l'assistance au secteur de services, il est important de souligner que dans l'ensemble du processus de courtage, le courtier répond au consommateur et à son réseau uniquement, et que ceci se fait dans les conditions suivantes :

- Il aide le consommateur à identifier et à clarifier ses points forts et ses besoins.
- Il offre des recommendations techniques quant à la meilleure façon de répondre à ces besoins.
- Il identifie les services disponibles.
- Il négocie le financement nécessaire.
- Il prépare un contrat avec les pourvoyeurs de services identifiés.
- Il met en oeuvre et surveille les accords contractuels faits avec les systèmes de service communautaires et les pourvoyeurs individuels de services.

Le courtier doit s'assurer qu'en tout temps l'individu et son réseau sont au courant des implications de toutes décisions, qu'elles soient prises par eux ou par d'autres dans le système de services. Par exemple, le courtier peut fournir une analyse de l'impact potentiel qu'un service pédagogique pourrait avoir chez l'individu. Cependant, le courtier ne transmet ces renseignements que dans sa capacité d'agent informé. Si, à un moment donné, un désaccord survient entre d'une part l'individu et son réseau, et d'autre part le courtier, celui-ci n'a pas à forcer ou à s'opposer aux décisions prises par les autres. Au contraire, le client demeure l'arbitre ultime en tout temps sur tous les aspects de prise de la décision, et jouit du véto sur n'importe quelle planification ou acquisition de services qui ne respectent pas ses intérêts.

Partenaires actifs

Le courtier, en tant que professionnel qui facilite la planification et la prise de décision, tente de maximiser l'autodétermination de la personne concernée. Ce faisant, le courtier complémente le rôle naturel des amis et de la famille de l'individu qui sont justement ceux qui veulent fournir le genre de soins susceptibles de promouvoir le développement de la personne et l'autonomie individuelle.

L'association active de partenaires qui existe entre le courtier et le réseau personnel, aide le courtier à travailler plus efficacement. Il utilise l'information provenant du réseau pour surveiller la qualité des services mis à la disposition de l'individu qui a recours au courtage. Cela fonctionne dans les deux sens, en effet, le travail du courtier se réfléchit sur la situation personnelle de l'individu et sur son réseau de soutien. Grâce à ces renseignements, le courtier est au courant de tout ce qui influence le client et il peut suggérer d'une façon informée d'autres options de vie communautaire au besoin. En se fiant au rôle de défenseur des droits que joue le réseau, le courtier est en mesure de garantir à l'individu utilisant les services de courtage des services communautaires plus appropriés et plus responsables. La nature de cette association renforce « l'habilitation » du client et de son réseau. Elle assure aussi que l'individu et le réseau demeurent le centre d'attention par rapport aux services communautaires, tout en apportant leur contribuation qui aide à rendre le système de courtage plus efficace.

Le processus de planification

Le processus de planification varie d'une personne à l'autre. Ce n'est pas une série de fonctions isolées, mécaniques et indépendantes; c'est un processus extrêmement personalisé. Il exige que le courtier identifie clairement et articule les points forts et les besoins de la personne nécessitant les services communautaires. Ce n'est qu'après cette première démarche que le courtier commence à chercher d'une façon intelligente la gamme d'options qui permettront de mettre les meilleurs services communautaires à la disposition de l'individu.

Lorsqu'un individu est dirigé vers l'organisme de courtage de services, ce qui peut être fait aussi bien par l'individu ou par son réseau, le courtier essaye avant tout de connaître d'une façon personnelle le client, sa famille et ses amis. Cette préparation importante permet éventuellement au courtier de déterminer avec précision les points forts et les besoins uniques de l'individu, et de développer des stratégies pour y répondre.

En développant un plan approprié, le courtier se sert d'une approche qu'on appelle la Planification de services générale (P.S.G). Cette méthode aide le courtier à développer un profil compréhensif de la personne qui espère vivre en communauté et fournit un aperçu de la variété des circonstances nécessaires au soutien donné au client en tout temps. Par exemple, une P.S.G. typique traiterait de choses telles que le logement, l'environnement de travail, le milieu scolaire, l'environnement de loisirs, de même que la façon dont le consommateur communique avec les autres et dont il répond à ses propres besoins personnels et médicaux.

Une planification prévoyante

Le Plan de services général est important à l'individu et à son réseau pour deux raisons. D'abord, il permet le développement d'une vision de vie en communauté unique. Cette vision permet un maximum d'occasions de jouir d'une autonomie et d'une autodétermination certaine dans la communauté, tout en étant un plan avec lequel il se sent à l'aise. Il permet au courtier d'arriver à une compréhension de l'idéal vers lequel la planification, les négotiations financières et les arrangements de vie communautaire devraient converger. Deuxièmement, le processus par lequel le Plan est développé donne l'occasion aux membres du réseau de soutien du client de réfléchir à toutes les options possibles pour une vie communautaire, et de travailler pour la réalisation des options qui ne sont pas présentement possibles. En permettant à toute personne de développer sa propre vision de vie communautaire, le processus de planification établit et encourage l'expansion du réseau, et assure une intégration subséquente dans la vie de la personne qui reçoit les services.

Garantir la participation du réseau sans s'emparer du contrôle

Idéalement, toute personne présentant un handicap aurait à sa disposition un réseau de soutien personnel avant l'entreprendre le processus de planification. À l'heure actuelle, il existe des regroupements informels de familles et d'amis qui peuvent mettre en place autour de l'individu un réseau personnel assez important. Ces regroupements de citoyens facilitent la tâche du courtier qui est de s'assurer que même les personnes qui n'ont qu'un réseau minime ou pas du tout de réseau reçoivent les soutiens nécessaires pour planifier et prendre des décisions. Souvent, les membres de ces regroupements initient le contact avec le courtier de services et les pourvoyeurs de services, au lieu de dépendre du courtier pour demander la participation du réseau. Ces membres aident également la personne qui utilise les services de courtage à étendre son réseau avec le temps.

Là où de tels regroupements ne sont pas actifs, et où le réseau personnel de l'individu est minime, voir non-existant, le courtier, faute de réseau, facilite la création et l'expansion d'un nouveau réseau et encourage la participation dans la planification et la surveillance des services. Dans ce rôle, le courtier entre en contact avec les organisations et les individus qui sont engagés dans la défense des droits ou qui

sont intéressés à s'engager de cette façon. Le courtier tente donc, avec l'aide de ces personnes, de trouver un défenseur personnel ou, si nécessaire, une famille substitut qui collaborera avec le système de courtage de l'individu handicapé. De plus, le courtier travaille de près avec le personnel qui soutient le client à la maison, au travail, aux loisirs et ainsi de suite, en les aidant à concevoir les stratégies qui permettent la formation d'un réseau. Lorsque le réseau est lancé, le courtier se retire de la situation, laissant se développer ce qui est essentiellement un rôle pour la communauté.

Le fait d'être si étroitement relié à la formation du réseau n'est pas sans risques. Il est difficile pour l'organisme de courtage de ne pas être considéré par la communauté, par le gouvernement, et par les autres professionnels comme développeur légitime de réseaux. La pression dans ce sens de la part des autres peut devenir considérable, ce qui pourrait donner à l'organisme de courtage la tentation de prendre contrôle d'un processus qui, à proprement parler, appartient aux membres de la collectivité et non pas aux courtiers ou autres organisations. Le courtier lucide comprend ces risques, et avant d'hériter de la responsabilité de former et de mettre en marche le réseau, il cesse de jouer un rôle trop important ou d'une trop longue portée avec le réseau d'un individu.

Renforcir les liens entre familles

Comme professionnel qui s'intéresse naturellement à la question des normes professionnelles, le courtier responsable fait tout ce qu'il peut pour renforcer les liens qui existent entre les familles entourant les personnes servies par le système de courtage. Le courtier compétent reconnaît que les soutiens émotionnels qu'une famille peut offrir à une autre sont irremplaçables. Il admet aussi que ce lien d'une famille à une autre crée un réservoir d'expériences et de soutien pratique. Les réseaux alors peuvent faire appel à ce réservoir en même temps qu'ils apprennent comment s'y prendre avec les pourvoyeurs de service, alors qu'ils cherchent à promouvoir les intérêts des gens qui présentent un handicap. De la même façon, les courtiers et les familles apprécient le partage de plusieurs points de vue résultant de ces rapports entre familles quand il s'agit de prendre des décisions. Cet échange garantit que les courtiers et les familles agissent dans l'intérêt du client. En tant que professionnel, le courtier doit partager tous les renseignements dont une famille est susceptible d'avoir besoin afin qu'elle puisse fortifier les liens qui existent entre elle et d'autres familles. Il doit aussi initier la formation de ces liens là où ils n'existent pas.

Les sources d'information

Le Plan de services général contient d'une façon organisée l'information concernant les points forts, les besoins et la vision personnelle d'une vie en communauté de l'individu. La majeure partie de cette information vient des efforts du courtier pour mieux connaître chaque personne et ses rapports avec le réseau personnel de celle-ci. Cependant, les sources d'information supplémentaires peuvent aussi inclure de la documentation ou des observations de professionnels ou de services pertinents. Les rapports de ces derniers avec l'individu peuvent être passés, présents ou futurs.

Des stratégies concrètes

De plus, le Plan de services général contient une formulation décrivant comment on peut atteindre la vision d'une vie en communauté. Cette dimension du processus de planification exige que le courtier explore et évalue les ressources communautaires actuelles. Ce faisant, le courtier peut aviser le consommateur et son réseau de la nature et de la variété des services acutels, et peut également leur dire s'ils conviennent et s'ils sont disponibles. De plus, l'évaluation faite par le courtier lui permet d'identifier les lacunes dans les systèmes actuels et de recommander des alternatives viables. Ceci peut inclure la création de nouveaux systèmes, la modification d'un système actuel ou l'innovation d'autres options créatrices conçues pour répondre à des besoins identifiées auparavant.

L'évaluation des coûts

Après avoir réuni et examiné toute l'information disponible et nécessaire, le courtier aide le client et son réseau à prendre les dernières décisions concernant les services et les soutiens exigés. Le courtier, en se servant de ses compétences et de son objectivité, les aide à prendre des décisions réalistes, surtout en situation de contraintes financières. Une fois ces étapes franchies, le courtier s'informe auprès des pourvoyeurs de services afin d'estimer les coûts du contrat global de services et de soutien exigés.

L'approbation

Quand le Plan de services général est terminé, on attend qu'il soit approuvé et appuyé par le consommateur. Si, pour une raison quelconque, il n'est pas possible d'obtenir l'approbation du client, le courtier essaye de l'obtenir du réseau interpersonnel. Il faut souligner que le courtier n'insiste pas pour que soit accepté un plan que l'individu ou le réseau rejettent catégoriquement. Dans ce cas, il modifie le plan pour le rendre plus acceptable.

La négotiation du financement

Une fois approuvé, le P.G.S. devient la base à partir de laquelle l'organisation de courtage de services, agissant comme représentant contractuel du client et de son réseau, négocie avec la source de financement (généralement un ministère) les fonds nécessaires pour assurer le service prévu.

La préparation des contrats et l'obtention d'autres approbations

Supposons que les négotiations avec la source de financement soient terminées, et que les fonds nécessaires (provenant généralement d'un ministère) soient alloués à l'individu; le courtier, agissant comme agent du client, met au point les accords contractuels pour la réception de services d'une variété de pourvoyeurs de services. Ces contrats stipulent les droits, les obligations et les responsabilités de tous les intéressés. Ils prennent en considération les points forts, les besoins et les ambitions du client tels que décrits dans le P.G.S. Aucun contrat ne sera considéré comme mis au point s'il n'est pas approuvé par l'individu ou son réseau. Un élément important de tout accord négocié est une clause qui garantit au réseau l'accès complet et libre d'entraves.

Les fonds et les services

Les arrangements financiers que l'organisme de courtage met en place vis-à-vis un pourvoyeur de services n'impliquent pas un échange direct d'argent entre l'agence de financement et le pourvoyeur. Le concept d'allocation des fonds au consommateur fonctionne un peu comme le système de carte de crédit. L'organisme de courtage reçoit les fonds, qui sont réservés au nom du client, et les garde en fidéicommis. Le courtier, agissant comme agent du client, remet à un système de services ou à un pourvoyeur de services individuel un montant négocié en échange pour un service particulier. L'allocation de fonds provenant de la source de financement est tranférable de services en services, complètement à la discrétion du consommateur. Les arrangements financiers incluent une provision qui permet de renégocier quand les besoins individuels et les exigences en terme de services changent. À la fin de tout ce processus, le consommateur aura une gamme de services garantis contractuellement qu'il aura sélectionnés lui-même pour répondre à des besoins précis. Le courtier joue un rôle important en mettant sur pied le Plan de services général dans un premier temps, et en obtenant accès aux services exigés au début dans un deuxième temps. Cependant, le degré de participation subséquente du courtier dépend de la situation individuelle de la personne qui présente une déficience intellectuelle. Ceci est discuté dans la section suivante.

UN COURTAGE DE SERVICES CONTINU

Un service qui agit au nom du client et avec sa collaboration sans toutefois contrôler

Après s'être assuré que les services appropriés sont en place autour de la personne handicapée et que ces services fonctionnent d'une manière satisfaisante, le courtier se retire de la situation et laisse le consommateur vivre sa vie. Contrairement aux systèmes de gestion de cas sociaux où on doit suivre et surveiller les cas, le courtier de services ne redevient actif dans la situation qu'à la demande et à la discrétion de l'individu ou de son réseau personnel.

Cette participation survenir si, par exemple, le client éprouve des difficultés avec ses arrangements de logement en communauté, ou si ses besoins personnels se modifient et qu'il a besoin d'un ajustement dans les services et les soutiens qu'il reçoit. Le client peut ré-embaucher le courtier, ou le courtier, de son propre chef, peut lui suggérer une modification au plan actuel qui lui permettra de vivre en communauté. Peu importe la façon dont le courtier redevient actif dans une situation donnée, il n'a pas à amener le client ou son réseau à une conclusion décidée d'avance concernant soit la nature du problème, soit la meilleure option, soit le meilleur choix.

Parce qu'il est possible que l'on ait besoin à nouveau des services du courtier pour diverses raisons, celui-ci cherche à demeurer au courant, d'une façon générale, de la situation du consommateur et de la qualité des services fournis. Par conséquent, le courtier demeure actif jusqu'à un certain point dans la vie de l'individu. Ceci se fait par l'entremise de visites informelles chez lui, de déjeuners impromptus et ainsi de suite. De même, il reste en contact avec les pourvoyeurs de services impliqués et avec les membres du réseau de soutien.

C'est le pourvoyeur de services qui, au fil du temps, se trouve dans l'obligation d'assurer une planification routinière et de vérifier la qualité d'un service particulier. Idéalement, le système de provision de services, le client lui-même, et son réseau personnel entreront et resteront en contact étroit. Ainsi ils s'occuperont eux-mêmes des difficultés qui surviennent.

LES EXIGENCES GÉNÉRALES D'UN COURTIER DE SERVICES

Le courtage de services met une gamme de ressources techniques à la disposition de la personne qui présente une déficience intellectuelle. Ce système lui permet de developper une vision de la vie qui est à la fois autodéterminée et pleine de dignité; il lui permet aussi la réalisation de cette vision. Le courtier compétent connaît par conséquent assez bien les processus psychologiques et sociaux avec lesquels le consommateur répond à ses besoins et développe ses talents.

En tant que professionnel compétent capable de fonctionner dans un cadre social et structurel assez vaste, le courtier possède une grande variété de compétences techniques et interpersonnelles et il a une excellente compréhension des domaines pertinents à la vie en communauté de ceux qui se servent du système de courtage. En ce qui concerne la dimension personnelle, il prend un engagement sérieux envers les droits de toute personne ayant un handicap. Il cherche à protéger ces droits, tout en donnant pleins pouvoirs au consommateur et à son réseau. Le courtier s'engage à promouvoir les intérêts de ceux qui présentent une déficience intellectuelle et il s'efforce de les connaître et de les respecter comme des individus uniques. Il est tout de même à l'aise avec le rôle auxiliaire qu'il joue dans la prise de décision. Il

est tout aussi à l'aise avec l'idée que son autorité professionnelle dépend entièrement de son habileté à aider les autres en rehaussant leur statut dans la communauté.

En résumé, le courtier efficace possède une certaine combinaison d'attributs personnels et de compétences professionnelles qui lui permettent de fonctionner efficacement dans la communauté et de conclure le « meilleur marché » possible pour la personne qui présente un handicap. Par conséquent, on doit prendre des mesures au niveau de l'organisation pour s'assurer que sont présentes les conditions sous lesquelles ces qualités professionnelles et personnelles peuvent être développées et préservées.

CONCLUSION

Le courtage de services est une composante d'un noyau de soutien intégré. Il fournit une structure permettant la planification et la mise en oeuvre des services. Développé par des familles qui cherchaient à promouvoir une intégration totale et pleine de dignité dans la communauté pour ceux qui présentent une déficience intellectuelle, il permet la co-existence de la créativité et de la souplesse dans le processus qui consiste à identifier et à « déclencher » une réponse communautaire aux besoins de la personne handicapée.

Le courtage de services habilite l'individu handicapé à fonctionner comme consommateur dans la société. En même temps, le courtage agit comme catalyseur stimulant la communauté à créer des résponses innovatrices aux besoins changeants du client — besoins qui présentent parfois un défi.

C'est le client qui reçoit les fonds, qui est appuyé par son réseau personnel composé d'amis et de la famille, et qui rehausse ses compétences en utilisant les soutiens professionnels d'un courtier de services. C'est aussi le client qui, appuyé par son réseau, contrôle la planification et le processus de la prise de décision, et permet la surveillance et l'évaluation nécessaires du système.

Le courtage de services élimine le besoin de faire participer l'organisme de financement dans la planification de services et dans la provision directe de ces services. L'organisme de financement se trouve ainsi libre d'assumer ses responsabilités primaires qui sont de surveiller les dépenses fiscales et la qualité des services et programmes. Le courtage de service peut donc être considéré comme une compétence technique, achetée par une organisation de financement afin de fournir du soutien en matière de planification à l'individu et à son réseau au sein de la communauté. Les obligations du système de courtage envers le gouvernement et les personnes utilisant le service garantissent que le système se justifiera en tout temps à la personne présentant le handicap et au contribuable, tout en impliquant directement la personne handicapée dans la prise de décisions. Cette approche a des ramifications importantes pour l'utilisation efficace de ressources économiques limitées, et est conforme à la tendance vers un contrôle accrue de la part du consommateur dans les prises de décisions et l'allocation des ressources.

Le courtage est capable de souplesse parce qu'il a été conçu pour fonctionner d'une façon interdépendente avec les autres composantes du noyau de soutien. C'est cet aspect de son opération qui prévient le développement d'une vaste structure bureaucratique rigide. Sans une ouverture d'esprit saine qui accueille les contributions des citoyens et encourage le contrôle chez les consommateurs, tout système s'élargit, donne naissance à des intérêts engagés puissants et raffermit son pouvoir sur le client. Par contre, le courtage prend pour acquis les contributions des citoyens et le contrôle du consommateur. Il prend pour acquis le fonctionnement libre des éléments de contrôle automatique des pouvoirs qui sont en vigueur à l'intérieur du noyau de soutien. Ces éléments de contrôle, normalement exclus des grandes structures, assurent que les courtiers demeurent alertes aux changements nécessaires dans les arrangements pour une vie en communauté. Ils empêchent le courtage de devenir une entité en soi. Le courtage de service n'est pas réservé dans ses applications potentielles aux personnes présentant une déficience intellectuelle. Il peut s'appliquer à tout genre de personne dans la société, y compris les personnes âgées, et celles qui présentent des besoins spéciaux, par exemple visuels ou psychologiques.

Le concept du courtage de services est relativement nouveau, et sera certainement développé et de raffiné. À cet égard, la coopération et l'appui des gens qui présentent un handicap intellectuel, de leurs familles et d'autres défenseurs des droits de même que des pourvoyeurs de services, des professionnels et de ceux qui sont chargés de l'élaboration de politique garantiront sa pertinence dans le domaine de la déficience intellectuelle.

Le défi qui nous est lancé de rehausser le statut et les occasions de se développer de ceux qui sont handicapés est une tâche urgente. Le concept du courtage de services offre une approche efficace vers la réalisation de cet objectif.

RÉFÉRENCES

Allen, D., and Stefanowski Hudd, S., ''Are we Professionalizing Parents? Weighing the Benefits and Pitfalls'', in *Mental Retardation,* vol. XXV, No. 3, American Association on Mental Deficiency, 1987, pp. 133-139.

Canadian Association for Community Living, *Community Living 2000,* Toronto, CACL, 1987.

Chicago, ''Interview with John McKnight'', Chicago, Chicago, Ill., Nov. 1985, pp. 203-207.

Community Living Board and the Provincial ComServ Committee of the BCAMR, 1978, a submission by, *A Proposal for an Experimental and Demonstration Comprehensive Community Service Project for British Columbia,* Reprint by The Canadian Association for the Mentally Retarded, 1978.

The Community Living Society, *Serving People Who Have a Mental Handicap: A BLUEPRINT FOR ACTION,* Published by the Community Living Society, 1983.

Crawford, C., *History of the Woodlands Parents' Group,* Unpublished paper, 1983.

Flynn, R.J., and Nitsch, K.E., editors, *Normalization, Social Integration, and Community Services,* Baltimore, University Park Press, 1980.

Kappel, B., Forest, M., Ioannou, M., McWhorter, A., *Making a Difference,* ed. Ioannou, M., vols. I-V, Toronto National Institute on Mental Retardation, 1986.

McKnight, J., ''Regenerating Community'', from *Proceedings of the Canadian Mental Health Association's Search Conference,* Ottawa, CMHA, 28 Nov. 1985.

O'Connell, M., ''Things Go Better with Neighbours'', an interview with John McKnight, in *SALT,* June 1986, pp. 4-11.

Richler, D., and Pelletier, J., *Major Issues in Community Living for Mentally Handicapped Persons: Reflections on the Canadian Experience,* Toronto, National Institute on Mental Retardation, Oct. 1982.

Rioux, M. & Crawford, C., *CHOICES,* Published by the Community Living Society, 1983.

Salisbury, B., *An Alternative Model for Community Living: A Canadian Perspective,* Unpublished paper, 1986.

Salisbury, B., *Service Brokerage: A Discussion of the Role,* Unpublished paper, 1986.

Salisbury, B. & Salter, L., *An Exploration of the Concept of Service Brokerage: Providing Individuals With Choices,* Unpublished paper, 1986.

Stainton, T., *Service Brokerage: A Model of Support for Demand Based Service Delivery,* Unpublished paper, 1986.

Stainton, T., *The Impact of Funding Structures on Individuals With a Mental Handicap: A Call For Reform,* Unpublished paper, 1985.

Stainton, T., *Deinstitutionalization and Community Living: History, Issues and Model,* Unpublished paper, 1985.

Wolfensberger, W., *Reflections on the Status of Citizen Advocacy,* National Institute on Mental Retardation and the Georgia Advocacy Office, Inc., 1983.

Wolfensberger, W., *Voluntary Associations on Behalf of Societally Devalued and/or Handicapped People,* National Institute on Mental Retardation and the Georgia Advocacy Office, Inc. 1984.

Wolfensberger, W., *Normalization,* Toronto, National Institute on Mental Retardation through Leonard Crainford, 1972.

Woodlands Parents' Group, *Development of a Comprehensive Community-Based System of Service as an Alternative to Woodlands, a presentation to the Minister of Human Resources, 1977,* Woodlands Parents' Group, 1977.